JN077032

コロナ・パンデミックと日本資本主義

科学的社会主義の立場から考える

友寄 英隆

学習の友社

はじめに

新型コロナ感染症（COVID〔コヴィド〕−19）の世界的感染拡大（コロナ・パンデミック）は、世界各国で国民各層に多大な苦難をもたらしています。コロナ・パンデミックとその対応策による資本主義諸国の急激な経済活動の収縮は、戦後世界で最大のマイナス成長をもたらすとともに、とりわけ人の移動を伴う航空・運輸業、観光業、飲食業などへ深刻な打撃を与えています。また、学校教育、文化・芸術、スポーツのイベントなどにも、甚大な影響をおよぼしています。

国民の暮らしや働き方、仕事や雇用にもさまざまな変化が生まれ、とりわけ底辺の貧しい人々を悲惨な状態に陥れて、格差を拡大し、新たな差別も引き起こしています。

コロナ・パンデミックを一日も早く終息させ、経済活動を回復するための当面の対策に全力をあげるとともに、長期的な視点から、現在の資本主義社会のあり方を見直して、人類社会の進歩の方向を考える機会にすることが求められています。

※　　　※　　　※　　　※　　　※

感染症パンデミックの問題は、それ自体としては医学的、疫学的、生命科学的な考察が中心となります。しかし同時に、社会科学的な考察、人文科学（哲学、文学など）的な考察も不可欠です。

急激なパンデミックがなぜ起こったのか、その医学的・疫学的探究、政治的経済的影響や対応策、歴史的社会的意味、思想的文化的意味など、さまざまな側面からの研究と討論、協力と共同が求められます。パンデミックに的確に対応するためには、こうした広範な諸科学による総合的な研究体制を発展させることが必要です。

本書は、こうした立場から、筆者が研究してきた科学的社会主義の立場、とりわけマルクス経済学の研究者の立場から、今回のコロナ・パンデミックについて考察し、それをもとにコロナ後の日本資本主義の課題について、若干の問題提起を試みたものです。

※　　※　　※　　※　　※

本書を執筆するにあたって筆者がとりわけ留意したのは、唯物史観の視点から今回のコロナ・パンデミックをどう見るか、その歴史的意味を考えることでした。

人類史を紐解くと、歴史上のパンデミックは、その時々の社会制度や医療・公衆衛生体制の弱点をあぶりだし、社会変革に拍車をかけて、社会進歩の歴史的な流れに大きな影響を与えてきました。

しかし同時に重要なことは、パンデミックは、歴史発展の基本方向そのものを変えることはできないということです。パンデミックによって社会の弱点が明らかになっても、古い社会が自動的に崩壊したり、ひとりでに新しい社会的諸制度が形成されたりすることはありません。現実に社会が進歩・発展するためには、それを望む国民の強い意思と社会変革のための闘いが不可欠です。

歴史の発展法則にたいして今回のコロナ・パンデミックはどのように作用するのか、コロナ後の社会構想をどのように考えるか、コロナ後の社会変革の運動の発展のためには何が必要なのか、――本書では、こうした課題について筆者が試行錯誤しつつたどり着いた到達点を、できるだけ簡潔に整理して述べてあります。

※　　※　　※　　※　　※

本書の執筆時点では、コロナ・パンデミックは進行途中であり、今後、どのような新しい事態が起こるか、まだ定かではありません。とくに日本の場合は、1年後の2021年夏に延期した東京オリンピック、パラリンピックがはたして実施できるのか、最終的に中止になるのか、その行方は、日本の社会状況に大きな影響をもたらすでしょう。その意味では、本書は、コロナ禍が発生した年、2020年秋の時点での、文字通り“走りながら考える"、"考えながら走る"という同時代の記録、コロナ禍についての中間的分析と言ってもよいでしょう。

しかし、本書で筆者が探究した基本的な論点 —— パンデミックを捉える科学的社会主義の立場、唯物史観の視点は、今後どのようにコロナ禍が展開しようとも変わらないものです。本書で提起した諸課題は、コロナ・パンデミックの今後の動向、コロナ終息後の2020年代の日本資本主義の課題について考えるうえで、1つの方法的視点を提供するものだと考えています。

※　　※　　※　　※　　※

本書の構成は、次のようになっています。

第1章「パンデミックとは何か —— 唯物史観の視点から」は、そもそも感染症によるパンデミックとは何か、歴史の発展法則にとって、パンデミックはどのように作用するのか、唯物史観の立場から考えてみます。同時に、パンデミックは「人間と自然の物質代謝」の問題についても、新しい視点を提起していることをとりあげます。

第2章「新型コロナ・パンデミックの衝撃 —— 感染症疫学と社会科学の視点から」は、今回の新型コロナウイルスによるパンデミックについて、感染症疫学と社会科学の知識をもとにしながら、これまでの経過を概観し、パンデミックが21世紀の世界と日本の歴史に与えつつある衝撃の大きさ、その意味を考えてみます。

第3章「コロナ・パンデミックと『新自由主義』路線の悪行 —— 社会変革の視点から」は、自公政権の二十数年にわたる医療・公衆衛生政策の歴史を振り返り、コロナ・パンデミックをもたらした「新自由主義」路線の過去、現在、将来にわたる悪行を検証します。

第4章「コロナ・ショックによる経済危機と回復過程 —— 従来の恐慌分析とは異なる視点から」は、マルクス経済学の恐慌論とのかかわりで、今回の経済危機の性格をどう分析するかという問題をとりあげます。とはいえ経済危機そのものの全体像がまだ確定していないので、いわば中間的な報告です。

第５章「デジタル化社会の可能性と限界 —— 労働者・国民の視点から」では、コロナ後に急速に進むと予想されるデジタル化社会をとりあげます。ここでは、「デジタル化とは何か」という、デジタル化の原理の技術的な解説もおこないながら、資本主義のもとでのデジタル化の矛盾、労働者への影響に注目します。

第６章「コロナ後の日本資本主義の課題 —— 中長期的な日本資本主義論の視点から」は、コロナ後の 2020 年代の日本資本主義の課題を中長期的な視点から考えます。コロナ後の日本は、ただ短期的な経済危機というだけでなく、歴史的な政治的危機、経済的危機、社会的危機の時代に入る可能性があり、そうした視点から日本資本主義の課題を検討します。

第７章「コロナ後の労働運動への期待 —— 一経済研究者の立場から」は、それまでの６つの章の分析を踏まえたうえで、コロナ後の労働運動の課題について、一経済研究者の立場からの問題提起的な提案を試みたものです。多くの課題があると思われますが、ここでは５点に絞ってあります。

補章「パンデミックとマルクス、エンゲルス」では、14 世紀の黒死病（ペスト）の大流行（パンデミック）と 19 世紀のコレラの度重なる世界的流行について、マルクスとエンゲルスがたびたび論究していることについて、文献史的に概観し、その今日的意義を検討します。マルクスとエンゲルスが生涯にわたって疾病問題に関心を持ち、とりわけ資本主義的搾取制度とのかかわりで労働者・国民の健康や公衆衛生、医療制度について分析していたことについて考察します。

本書の各章は、それぞれ副題で明示したような視点からパンデミックを考察したものですが、そのなかで第７章は、コロナ後の労働組合運動の課題に焦点を絞ってあります。しかし、そのほかの章は、科学的社会主義の立場、マルクス経済学の視点から、今回の新型コロナ・パンデミックを分析したものなので、パンデミックについて関心を持っておられる方に広く読んでいただけるものと思います。

※　　　※　　　※　　　※　　　※

本書を執筆するにあたって筆者が新たに学んだのは、感染症疫学という、筆者にとってはこれまでまったく未知の分野の学問でした。疫学とは、人間集団を対象として、病気の原因や流行、健康状態を探究する医学の一分野です。従来は、主として感染症の原因、流行、防止などを研究対象としていましたが、最近では公害の疫学、生活習慣病の疫学、癌の疫学などなど、その研究範囲は、大きく広がっています。疫学では、統計的な調査・分析を主要な方法とするので、経済学とは重なるところがたいへん多いのです。

疫学の初歩について学習する過程で得た知見をもとに、各章の終わりに、感染症疫学と社会科学との接点にかかわるコラムを置きました。それぞれ興味深いエピソードをとりあげているので、本文とは別に、コラムだけを通して読んでいただいてもよいと思います。とくに、コラム①のロンドンのソーホー地区に住んでいたマルクスと疫学の創始者：ジョン・スノウにかかわるエピソードは、これまでマルクスの伝記でもあまりとりあげられていないことなので、筆者にとって新しい発見でした。

【コラム】のテーマ

①疫学の創始者：ジョン・スノウとマルクス
②ナイチンゲールと疫学、医療統計学
③ＥＣＭＯ net（エクモネット）と医療従事者の献身的な活動
④パンデミックと「特殊な恐慌」の理論
⑤感染症疫学の発展とビッグデータの時代
⑥疫学４学会の要望書とＧ−ＭＩＳ（ジーミス）、ＨＥＲ−ＳＹＳ（ハーシス）
⑦コロナ対策とＡＩ（人工知能）
⑧コレラ流行とマルクス、エンゲルスの書簡

※　　　※　　　※　　　※　　　※

本書は、今回のコロナ・パンデミックが発生してから、筆者が折に触れて書いたり、話したりしてきたことをもとにしてまとめたものです。初出の論文、記事は、以下の通りですが、本書をまとめるにあたって、大幅に再構成して、書き直してあります。なお、コラムはすべて新稿です。

❶「パンデミックと再生産の攪乱・世界恐慌」(『経済』2020年6月号)

❷「パンデミックとマルクス、エンゲルス」
(「しんぶん赤旗」日曜版、2020年6月11日)

❸「コロナ・パンデミックと日本資本主義の課題」
(『月刊全労連』2020年10月号)

❹ 座談会「コロナ・パンデミックと資本主義」での報告・発言
(『経済』2020年10月号)

❺「検証・アベノミクス」(「全国商工新聞」2020年10月5日号)

また、コロナ・パンデミックが起こる以前に発表してきた、次の拙著のなかから、とくに日本資本主義分析にかかわる部分を利用してあります。

①『大震災後の日本経済 —— 何をなすべきか』
(学習の友社、2011年11月)

②『アベノミクスと日本資本主義』(新日本出版社、2014年6月)

③『「人口減少社会」とは何か —— 人口問題を考える12章』
(学習の友社、2017年7月)

④『ＡＩと資本主義 —— マルクス経済学では こう考える』
(本の泉社、2019年5月)

2020年10月20日

友寄英隆

もくじ

第７章　コロナ後の労働運動への期待　123

第１章

パンデミックとは何か
―― 唯物史観の視点から

パンデミック（pandemic）とは、感染症の流行の警戒区分を表わす言葉です。WHO（World Health Organization：世界保健機関）では、流行の規模に応じて、エンデミック、エピデミック、パンデミックと用語を３段階に使い分け、世界的大流行を指すのにパンデミックを使用しています。

第１段階のエンデミックは、国内の限定された地域に感染症が発生すること。

第２段階のエピデミックは、感染症が国境を越えて一定の地域で大量に発生すること。

第３段階のパンデミックは、感染症が世界的規模で同時に流行すること、感染爆発が多数の国、地域で連続的に起こること。

ちなみに、パンは〈全て〉、デミアは〈人々〉を意味するギリシア語にもとづいています。

1. パンデミックは、周期的に、必ずやってくる

感染症対策で国際的に活動している医師の山本太郎氏は、すでに2006年の著書『新型インフルエンザ —— 世界がふるえる日』(岩波新書)のなかで、インフルエンザ流行の簡略な年表を示して、「(インフルエンザの) 世界的流行は周期的に出現する」と、次のように警告していました。(なお、この年表はＳＡＲＳ、ＭＥＲＳなどのコロナウイルスの流行する以前に書かれたものなので、それらは書き込まれていません)。

「この図によれば、1700年以降300年にわたってインフルエンザの世界的流行が7回起こったことがわかる。平均すると、インフルエンザの世界的流行は約40−50年周期で起こってきたことになる」。「世界人口の増加と都市化による人口密集度の増加や、食生活の近代化、それにともなう家畜飼育の質的変化と量的増大（家畜革命）といった要因が流行周期の短縮に影響をあたえている可能性が高い。流行の周期性から見る限り、インフルエンザの世界的流行はいつ起こってもおかしくない状況にある。つまり問題は、起こるか起こらないかではなく、インフルエンザの世界的流行が、いつ、どのように、しかもどのようなウイルスによって引き起こされるかにあるのである」(同書、22～23頁)。

表1-1

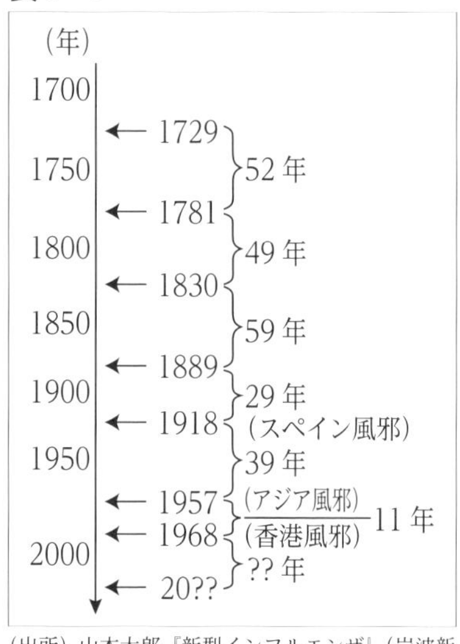

（出所）山本太郎『新型インフルエンザ』（岩波新書、2006年）22頁。

山本氏だけでなく、感染症の研究者はインフルエンザやコロナウイルスの危険性を早くから指摘してきました。たとえば岡田晴恵氏は、2016年の著書（『知っておきたい感染症』（ちくま新書）のなかで「いつか必ず、強毒型新型インフルエンザが発生する」、それは「史上最悪の

表1－2　歴史上の主なパンデミック

	年	感染症・病原菌	地域	死亡者数	参考	
1	AD165～180	ペスト（？）	ローマ帝国	500万人	アントニヌス帝	
2	541～542	ペスト	ローマ帝国	3,000万～5,000万人	ユスティニアヌス帝 ローマ帝国の衰亡に拍車	
3	735～737	天然痘	日本	100万人	「天平の疫病」	
4	1347-1353	ペスト （黒死病）	ユーラシア	7,500万人	中世社会の崩壊に拍車 最初の労働者規制法（1349）	マルクスが『資本論』で言及
5	1500年代前半	天然痘	アメリカ大陸	500万～600万人	ポルトガルなどの侵略で流行 米大陸の先住民社会を破壊	
6	17世紀	ペスト	欧州	300万人	ロンドン（1664-65年）	
7	18世紀	ペスト	欧州	60万人		
8	19世紀 5次（1817～1896）	コレラ	世界的	150万人以上	イギリスなどの 植民地政策が「温床」 公衆衛生制度の背景	マルクス、 エンゲルスが 様々な著作で言及
9	19世紀末	黄熱	熱帯地域	10万～15万人	アフリカ、中南米	
10	1918-1920	スペイン風邪	世界的	4,000万～5,000万人	世界人口の2～5％	
11	1957-1958	アジア風邪	世界的	100万～200万人	インフルエンザ	
12	1968-1969	香港風邪	世界的	50万～200万人	インフルエンザ	
13	1960-	エイズ	世界的	3,500万人	後天性免疫不全症候群	
14	1961-	コレラ	世界的	年間2万1千～14万3千人		
15	1974	天然痘	インド	2万6千人	根絶に成功	

（注）参考資料をもとに筆者が作成。上記の他にも、様々な感染症流行の記録があるが、ここでは主要なものだけをあげてある。死亡者数は文献によって様々であり、あくまでも推定値である。

パンデミック」となると警鐘を鳴らしていました。

2．歴史上のパンデミック

前頁の表は20世紀までの歴史上の主なパンデミックの一覧です。マルクスとエンゲルスは、生涯に著した様々な著作のなかで、疾病・疫病・医療問題をたびたびとりあげています（巻末の付表2参照）。このうち、現在の医療用語でパンデミックと呼ばれている疾病の世界的大流行については、中世（14世紀）のペスト・パンデミック（表の第4項）と、19世紀のコレラ・パンデミック（表の第8項）などは、人類史上、重要な意味をもっており、マルクスとエンゲルスもさまざまな文献で論究しています。この点については、本書の最後に補章でとりあげるので、ここでは指摘するだけにとどめておきます。

古代社会のローマ帝国時代にペストによるパンデミック（表の第2項）は、死者が5,000万人にも達する大災厄をもたらし、ローマ帝国の支配体制に深刻な打撃となり、古代社会の没落と中世社会への移行を促進しました。当時の東ローマ帝国のユスティニアヌス大帝は、すでに衰退期に入りつつあったローマ帝国の再興をめざして、積極的な外征によって旧領地の多くを奪還し、一時は地中海を囲む勢力圏を構築し、また『ローマ法大全』の編纂などをおこないました。しかし、ペスト・パンデミックは、帝国の人口を激減させ、労働力不足と賃金の上昇を引き起こすなど、経済的な衰弱に拍車をかけました。また人口が激減したために、周辺地域からの“蛮族”の侵入が増大し、それもローマ帝国の衰亡に拍車をかけました。

20世紀初頭（1918年～20年）のスペイン風邪（悪性で感染力の強いインフルエンザ）は、第一次大戦の死者をも上回る大惨事をもたらしたパンデミックでした。一般に「スペイン風邪」という名称で呼ばれていますが、最初の発生は米国のカンザス州の軍事基地内からだったと言われています。その後欧州をふくめ全世界に流行しましたが、当時の交戦国は新型感染症の拡大を秘匿していたため、その存在を初めて報告した中立国のスペインに因み、この新たな感染症を「スペイン風邪」と呼ぶようになったと伝えられています。

3．パンデミックと対応策が引き起こす社会的危機

人類の歴史において、何度も繰り返されてきたパンデミックは、人間社会にとって、何を意味するのでしょうか。世界中を同時的に巻き込むパンデミックの危機は、どのような性格の危機ととらえることができるのでしょうか。

（1）人間の本質は「人間の社会的諸関係の総体」

マルクスは、若い時代に手帳に書き記した哲学的命題「フォイエルバッハにかんするテーゼ」（1845年）のなかで、「人間の本質」について、次のように述べています。

「フォイエルバッハは、宗教的な本質を人間的な本質へ解消する。しかし、人間的な本質は個々の個人に内在する抽象物ではない。それは、その現実においては、社会的な諸関係の総体である」（同テーゼの六）。

パンデミックは、まさに人間の本質ともいえる、人間と人間の結びつき、人間の社会的諸関係の一時中断を全世界的な規模で余儀なくさせ、人間社会のあり方に深刻な影響をおよぼします。

「人間の社会的諸関係の総体」といえば、あらゆる人間相互の結びつきにかかわります。

たとえば、①人間と自然の物質代謝のあり方、②労働様式と労働生産力のあり方、③資本：賃労働：土地所有の３大階級から成る生産諸関係のあり方、④生産や流通、などの経済活動のあり方、⑤日常の暮らしなど生活様式のあり方、⑥教育のあり方、⑦文化・メディア・スポーツ活動のあり方、⑧交通・運輸など人間の移動のあり方、⑨地域社会・都市のあり方、⑩家庭生活・家族関係のあり方、さらにまた、⑪政治活動

（たとえば選挙運動）、⑫社会運動（たとえば労働組合運動）、⑬国家と資本主義の関係、国家間の国際関係、などなど、―― まさに人間の活動のすべてにわたっています。

（２）「人間の苦難が人間の悪行と結びついていることを示す、痛烈な、きびしい実例」（マルクス）

マルクスは、『資本論』をはじめ、さまざまな論文のなかで、資本家の利益優先主義が労働者の生命や健康をいかに犠牲にしているか、厳しく追及しています。とりわけ1850年代には、マルクスは米国の新聞、ニューヨーク・デイリー・トリビューン紙に定期的に執筆した時事評論のなかで、当時のヨーロッパ社会を襲ったコレラ大流行の問題を繰り返しとりあげて、その原因や影響を論じています。

マルクスは、こうした時事評論を通じて、当時のコレラ大流行は、たんに発生源とみられたインドの風土だけでは説明できない、それはイギリスのインドにたいする植民地支配、インド住民への過酷な収奪政策を背景として引き起こされたのだと指摘しています。マルクスは、論評の最後に、「コレラ大流行は、人間の苦難が人間の悪行と結びついていることを示す、痛烈な、きびしい実例だ」（※）と述べて、イギリス帝国主義批判の視点を明確にしています。

※　ニューヨーク・デイリー・トリビューン紙のマルクスの原文（a striking and severe example of the solidarity of human woes and wrongs）をもとに、全集版の邦訳を変更してあります。

マルクスは、『資本論』のなかでは、資本主義的搾取制度が、どのようにして労働者の健康を恒常的に破壊し、労働者の寿命を縮めるか、その実態を詳細に分析しています。そして、資本主義のもとで成立した工場法のなかの保健条項が、労働者の健康を守るためには、いかに不十分なものであるか、その抜本的改善の必要性を主張しています。

マルクスとエンゲルスは、疾病や感染症の大流行は、社会の底辺の貧しい人々を悲惨な状態に陥れ、さらに国民全体に大きな苦難をもたらすと指摘しています。こうした解明は、その後の公衆衛生体制の確立、工場法の保健条項の抜本的是正など、現実に社会進歩を促進する大きな契機になりました。

マルクスとエンゲルスからあらためて学ぶことは、感染症パンデミックは、社会制度自体の弱点をあぶりだし、どのように社会を変えなければならないか、その方向を示すということです。

今回のコロナ・パンデミックについても、当面の緊急対策に全力をあげるとともに、長期的な視点に立って、現在の世界と日本の資本主義社会のあり方を根本的に見直して、人類社会の進歩のために前進する必要があります。

（3）パンデミックの研究は、自然科学、社会科学、人文科学の総力で

感染症パンデミックの問題は、それ自体としては医学的、疫学的、生命科学的な考察が中心となりますが、同時に社会科学的な考察、人文科学（哲学、文学など）的な考察が不可欠です。しかし、感染症の研究者が早くからパンデミックの重大性を繰り返し警鐘していたにもかかわらず、筆者を含めて多くの社会科学や人文科学の研究者は、今回のコロナ・パンデミックが起こって、はじめてその意味に気が付き、痛切な反省をしているのではないでしょうか。

急激なパンデミックがなぜ起こったのか、その社会的影響や対応策、歴史的社会的意味など、さまざまな側面から社会科学的な研究が必要です。今回のコロナ・パンデミックを終息させ、生活を立て直すための当面の緊急対策に力をつくすとともに、現在の「新自由主義型資本主義」のあり方を根本的に見直して、より民主的な社会へ変革する必要があります。

コロナ・パンデミックにたいする社会科学的な研究は、社会科学の理論の創造的な発展にとっても大きな意味を持っています。新しい課題に取り組むことによってこそ、社会科学の理論は発展できるからです。それは、社会科学は、本来的に経験科学であり、歴史科学であることから

来ています。新しい歴史的な現象に取り組まないなら、社会科学は灰色の死んだ理論にとどまってしまうでしょう。ゲーテは、『ファウスト』のなかで、悪魔メフィストに「きみ、理論というやつはすべて灰色で黄金の生命の樹こそ緑なんだよ」（小西悟訳、大月書店、72頁）と語らせています。新しい現実と切り結ぶことによってこそ、社会科学は緑色に輝く「生命の樹」として創造的に発展することができるのです。

4．パンデミックと歴史の発展法則

パンデミックの探究は、歴史の発展法則についての唯物史観の理解について、新しい視点を提起しています。

（1）パンデミックは、歴史の発展を促進したり、撹乱したりする

歴史上のパンデミックは、その時々の社会制度や医療体制の弱点をあぶりだし、社会変革に拍車をかけて、社会進歩の歴史的な流れに大きな影響を与えてきました。

たとえば、古代史にまでさかのぼれば、先に述べたように、6世紀のユスティニアヌス帝時代のペストの大流行は、ローマ帝国の衰亡に拍車をかけ、古代社会から中世社会への移行を促進しました。

中世では、14世紀の黒死病パンデミックは、人口の急減をもたらすことによって、中世社会の崩壊、資本主義への移行、長期的な意味での社会の制度的変革を促進しました。

近世の資本主義時代になってからも、19世紀にたびたび繰り返したコレラ・パンデミックは、産業革命後の都市環境の悪化にたいして、下水道や公衆衛生体制の整備などを促進し、資本主義における工場法（保健条項）の発展に拍車をかけました。

20世紀に入り、第一次大戦末期の1918年から流行したスペイン風邪の場合は、交戦国のどちら側にも多数の兵士の死者がでたため、それが世界戦争終結に拍車をかけたといわれています。

このようにパンデミックは、人類史の流れを促進したり、攪乱したりする大きな要因となってきたことは間違いありません。今回のコロナ・パンデミックも、すでに深刻な社会的経済的危機をもたらしつつあり、21世紀の世界史の行方に大きな影響をもたらさずにはおかないでしょう。

(2) しかし、パンデミックは歴史発展の法則を変えることはできない

パンデミックは、一時的に歴史発展を速めたり、遅らせたりする作用をもたらすとしても、それは歴史発展の法則自体を変えるものではありません。この点は、パンデミックの歴史への影響を考えるさいに忘れてはならないことです。

パンデミックは、その時々の社会の弱点をあぶりだし、社会変革に拍車をかけたり、逆に後退させたりすることができますが、生産諸力の発展と生産関係との相互の関係、両者の矛盾の発展によって社会が進歩・発展するという唯物史観の法則を変えることはできません。また、パンデミックによって社会の弱点が明らかになっても、社会がひとりでに進歩発展することはありません。現実に社会変革を実現するためには国民の闘いが不可欠です。

マルクスとエンゲルスは、歴史の発展法則を探究して唯物史観を確立した「ドイツ・イデオロギー」のなかで、古代社会から封建社会への移行過程を例にとって、戦争、略奪、征服などの強制力の作用は、物質的生産力や文明的達成を破壊するとともに、日常的な社会活動を中断させ、歴史発展にひじょうに大きな影響をもたらすが、歴史の発展法則をそれによって説明することはできないと強調しています。

「ドイツ・イデオロギー」では、従来の歴史観による「古代世界から封建制への移行」の説明を批判して、次のように述べています。

「歴史においてはこれまで奪取だけが問題であった、という観念ほどありふれたものはない。(こうした歴史観によると) 蛮人たちがローマ帝国を奪取したのであり、そして、この奪取という事実をもって、古代世界から封建制への移行が説明される」(服部文男監訳『新訳：ドイツ・

イデオロギー』新日本出版社、94 頁)。

マルクスとエンゲルスは、こうした歴史観を、次のように批判しています。

「(ゲルマン民族などの征服者たちによる) 奪取は、どこでもたちまち終わるのであり、もう奪取すべきものがなくなれば、生産をはじめなければならない」、「定住する征服者たちがとる共同体の形態は、眼前の生産諸力の発展段階に照応せざるをえないか、それとも、……… 生産諸力に応じて変化せざるをえない」(同、94~95 頁)。「ここから、民族移動後の時代に、……… 征服した者たちが征服された者たちから言語、教養、習俗をたちまちうけいれたという事実も、説明される。—— 封建制は、けっしてドイツから完成して持ってこられたのではなくて、それは、……… 征服後に、征服された諸地方に見いだされた生産諸力の影響によって、はじめて本来の封建制へと発展したのである」(同、95 頁)。

マルクスとエンゲルスは、戦争、略奪、征服などは、一時的なものであり、生産諸力の発展と生産諸関係の矛盾、階級闘争によって社会変革が進むという歴史発展の基本法則に取って代わるものではないと強調しています。

こうしたマルクスとエンゲルスの指摘は、感染症などによるパンデミックの影響についても当てはまります。パンデミックは、社会のあり方に大きなショックを与え、歴史の流れを速めたり、攪乱したり、一時的に中断したりしますが、歴史発展の法則そのものを変えることはできません。

5. パンデミックと人間と自然の物質代謝
——「外なる自然」と「内なる自然」

パンデミックの探究は、人間と自然の物質代謝のとらえ方についても、新しい視点をもたらします。

（1）新型コロナウイルスと「内なる自然」

人間と自然の物質代謝というとき、そこで一般に想定される自然とは、人間にとっての食料であり、衣料であり、住居であり、原料であり、金属であり、総じて人間が生存するための外部に環境として存在する自然です。それらの自然は、人間にとっての、いわば「外なる自然」といってもよいでしょう。

今回の新型コロナウイルス・パンデミックが明らかにしたことは、人間にとって「外なる自然」だけではなく、人間の体内にも、いわば「内なる自然」が存在するということです。これは、人間が生物であり、生命体という自然の一部であることからすれば、きわめて当たり前のことです。新型コロナウイルスは、鳥や人間などの細胞に寄生して増殖します。それが人から人へ感染して重症疾患を起こすことは、宿主である人間にとっては、はなはだ迷惑なことなのですが、同時に、今回のコロナ禍は、人間にとって「外なる自然」との共生という課題だけでなく、「内なる自然」との共生という、忘れてはならない課題があることを、あらためて気付かせてくれました。

ちなみにマルクスは、『経済学批判要綱』のなかで、労働する人間そのものが自然的個人であり、また人間にとっての自然的生存条件も、「（一）主体的自然、（二）客体的自然」という二重の存在であることを忘れてならないと述べています（『資本論草稿集』、大月書店、第2巻、141頁）。

（2）「内なる自然」との物質代謝は、人間の消費（消化）活動とケア労働による

コロナ禍を契機に、人間と自然の物質代謝のあり方も、「外なる自然」との関係だけでなく、「内なる自然」をも含めた、人間と自然のより深い共生関係を築く課題として、とらえ直す必要があるでしょう。これは、21世紀の社会科学、とりわけマルクス経済学にとって重要な反省点です。

人間による「外なる自然」との物質代謝は、もっぱら人間の生産活動、

とりわけ生産的労働が主導的な役割を果たします。これにたいして、人間による「内なる自然」との物質代謝は、もっぱら人間の消費活動（消化活動）とケア労働（医療、介護、福祉、保育などの対人関係の労働）が主導的な役割を果たします。

「外なる自然」との物質代謝を媒介する人間の生産的労働は、人間労働の成果を生産手段として蓄積することによって、自然の生産力を労働の社会的生産力に転換して、人類の文明を築き上げる原動力になってきました。それゆえに、人間が生産活動（生産的労働）を通じて取り結ぶ生産諸関係は、社会の経済的土台を構成してきました。人間社会を研究する経済学が、なによりもまず人間の生産活動（生産的労働）、生産諸関係を対象としてきたのは、そのためです。

「内なる自然」との物質代謝を媒介する人間の消費活動とケア労働は、人間自身をたえず再生産する生命活動であり、高度に発展する文明を享受するための人間生命の再生産、人間の肉体的、精神的能力を絶えず開発・進化させる活動です。ここで、人間の消費活動という場合、文化・芸術活動、学術・教育活動、スポーツ・体育、旅行・娯楽・趣味などを含む、広範な人間活動を意味しています。それらは、人間の全面的発達にとって、生産的労働とともに、不可欠な活動です。

（3）「自由な生産者と消費者によるアソシエーション」

パンデミックによってあらためて明らかとなった人間の「内なる自然」との物質代謝の関係は、マルクスが未来社会として描いた「アソシエーション」の理解の仕方とも深くかかわっています。

マルクスの「アソシエーション」論は、「自由な生産者によるアソシエーション」として特徴づけられています。その場合、社会的生産を担っている生産者が主体となっています。しかし、マルクスの言う「自由な生産者によるアソシエーション」とは、「自由な生産者と消費者によるアソシエーション」が含意されていると、筆者は考えています。つまり、「自由な生産者によるアソシエーション」であると同時に、「自由な消費者

による アソシエーション」でもあるということを見落としてはならないということです。

感染症などあらゆる疾病は、人間の生産活動（労働）と消費活動の両面と深くかかわっており、いわば人間の生命活動全体に関係しています。「人間と自然との物質代謝」は、人間の総体的な生命活動の結果であり、その正常な回復は、「自由な生産者と消費者によるアソシエーション」の確立によって達成されると言えるでしょう。こうした視点は、人類の未来社会を構想するさいには、きわめて重要な意味を持っています。

【コラム❶】

疫学の創始者：ジョン・スノウとマルクス

ジョン・スノウ

医学のなかに「疫学」(epidemiology：エピデミオロジー）という分野があります。epidemiologyという用語自体は、ギリシアのヒポクラテスの時代からありますが、「感染症の流行、原因、対策」などを研究する学問としての疫学が本格的に発展しはじめるのは、英国の医者ジョン・スノウ（1813-1858）が1854年にロンドンのソーホー地区で起きたコレラの発生原因の調査・研究をおこなってからです。1850年代と言えば、ちょうどそのころ、マルクスがロンドンのソーホーに住んで、大英博物館に通いながら、経済学の研究に打ち込んでいたころです。

当時、コレラは空気感染すると考えられていました。しかし、スノウは空気感染説に疑問を持ち、「汚染された水を飲むとコレラになる」という「経口感染仮説」を発表しました。

1854年8月に、ロンドン・ソーホー地区のブロード・ストリートでコレラの大発生が起きたときに、スノウはその発生源を明らかにするための疫学的な調査をおこないました。ロンドンの水道会社はテムズ川から取水していましたが、当時のテムズ川は汚濁がひどく衛生的とは言えませんでした。スノウはコレラ患者が多量発生したソーホー地区の患者発生状況の調査をおこない、患者発生マップと各水道会社の給水地域との比較照合をして、特定の水道会社の給水地域でコレラ患者が多発していることを突き止めました。スノウは、ある共同井戸が汚染源と推測し、行政がこれに従い問題の井戸を同年9月8日に閉鎖したため、ソーホー地区の流行の蔓延が終息しました。同時に、これによって、スノウの疫学マップによる「経口感染仮説」が証明されたのでした。この疫学調査によって、スノウは、疫学の創始者と考えられています。

■ソーホー時代のマルクス

スノウがロンドン・ソーホー地区で、コレラ流行の疫学調査をした1854年には、ロンドンに亡命してきたマルクスも、同じソーホー地区で暮らしていました。

マルクスが暮らしていたアパート(現在はレストラン)

マルクスは1850年末から56年まで、ロンドン・ソーホー地区のディーン街26番地の庭もない二間暮しのアパートに住んでいました。そこは、現在は一階は「Quo Vadis Restaurant」というレストランになっています。この建物の3階のアパートの2部屋にマルクス一家の7～8人が住み、最初はマルクスの書斎もありませんでした。

ソーホー時代のマルクスは、生涯の中でももっとも貧困に苦しんだ時期でした。マルクスは、このソーホーのアパートから0.6マイル（約950 m）、歩いて約15分の大英博物館に毎日通って、朝9時から夜7時まで、経済学の研究をつづけたのでした。

■マルクスも書いている「墓地原因」説を否定したスノウの論文

筆者は、今回のコロナ・パンデミックが起こってから、ジョン・スノウの疫学調査の論文を読み、ソーホー地区の「コレラ発生疫学調査マップ」を見ていて、ハッと気が付きました。マルクスが住んでいたアパートとは、まさに目と鼻の先です。現在のロンドンの地図で確かめると、0.2マイル（約320 m）、徒歩で約5分の距離です。

マルクスは、1854年9月22日付のエンゲルスに宛てた手紙で、次のように書いています。

共同井戸（ポンプ）
当時の雑誌の挿絵

「コレラは最近目立って下火になりつつあるが、われわれの区では猖獗をきわめた。それは6、7、8月につくられた下水道が、1668年（？と思う）の疫病の死者を埋めた墓地をとおって掘られたからだと言われている」（全集第28巻、316頁）。

コレラ感染源の共同井戸
（レプリカの記念碑）

マルクスが「コレラは最近目立って下火になりつつある」と書いたのは、まさにスノウの提言によって、コレラ発生源とみられる井戸が閉じられた2週間後でした。ちなみに、スノウは、マルクスが書いている「墓地原因」説が誤りであると、論文のなかで明確に述べています。
「多くの医学と関係ない人々はコレラの発生を約２世紀前にペストで死んだ人たちを埋めた孔があることによるだろうと考える傾向がある。そしてもしも問題の孔がブロード・ストリートに近かったらその考えも可能性があるだろう。しかし問題の孔はリトル・マールバラ・ストリートにあると言われ、これはコレラによる死亡者の多かった場所の外であった」。
スノウの疫学調査の科学的な評価が確立するのは、スノウが亡くなってから６年後の1860年代後半のことです。ソーホー地区のコレラが、スノウの調査結果によって井戸水のくみ上げを止めてから終息したことは、1854年９月のマルクスは、まだ知る由もありませんでした。

（資料）

①ジョン・スノウ「コレラの伝染様式について」（1854）（On The Mode of Communication of Cholera）水上茂樹訳、青空文庫（https://www.aozora.gr.jp/）に収録
②『コレラ、クロロホルム、医の科学 近代疫学の創始者ジョン・スノウ』（井上栄訳、2019年、メディカルインターナショナル社）
③サンドラ・ヘンペル『医学探偵ジョン・スノウ』（杉森裕樹ほか訳、2009年、日本評論社）
④スノウ関連のサイト：http://www.ph.ucla.edu/epi/snow.html

【解説】スノウが作成したコレラ発生疫学調査マップ

スノウは、この「コレラ発生疫学調査マップ」を作成することによって、特定の共同井戸（地図の★）の水を飲んでいた家族にコレラ患者が多発していることを発見し、「経口感染説」を立証した。スノウのコレラ伝染様式の調査とその疫学的結論は、当時の英国政府の公衆衛生局や枢密院医務官のジョン・サイモンたちからは、なかなか理解されなかった。スノウとサイモンの論争ののち、スノウ

スノウが作成したコレラ発生疫学調査マップ

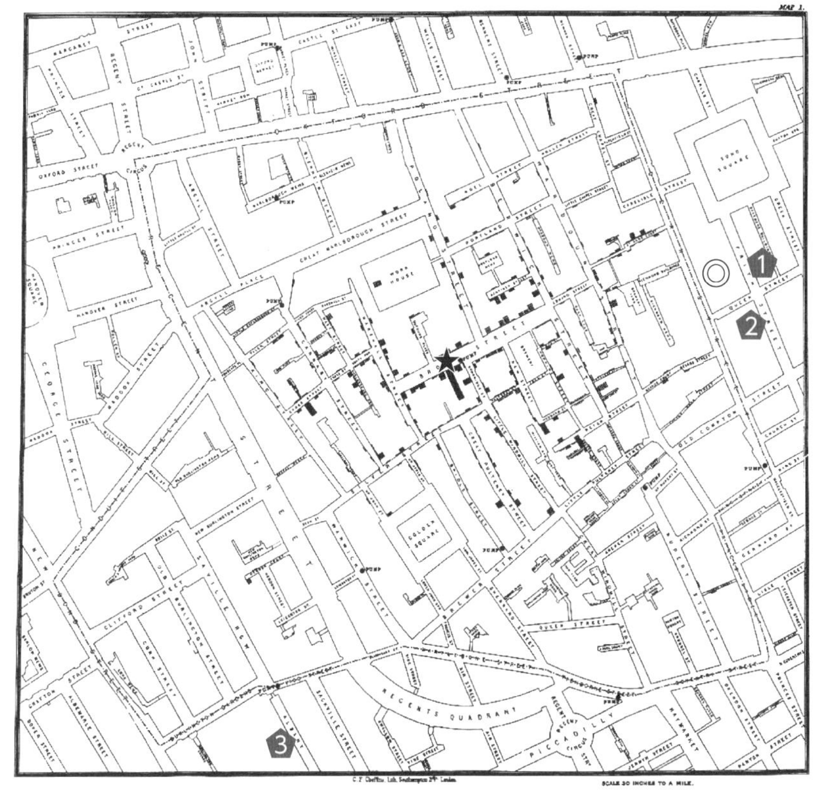

（地図の出所）スノウ論文「コレラの伝染様式について」（1854/55）

★──►スノウが特定したコレラ発生源の井戸ポンプの場所

■──►小さな黒い棒状のしるしは、コレラ患者の多発した家族の場所（ブロード街付近）

◎──►マルクス一家が住んでいた場所（ディーン街）（1850年末～1856年）
（現在は、Quo Vadis〔クォ・ヴァディス〕という名のレストランになっている）

⬟──►スノウのソーホー地区の住居　❶ベイトマンズ・ビル（1836年～1838年）
❷フリス街（1838年～1852年）
❸サックビル街（1852年～1858年）

の疫学理論を公衆衛生局が公式に認めたのは、スノウ死後、1860年代後半のことであった。

マルクス一家は、おそらく別の井戸の水を飲んでいたと思われるので、地図のコレラ多発地域（現在の用語では「エピセンター」）からは外れていたが、目と鼻の先の近くだったことがわかる。ちなみに、マルクスが毎日通った大英博物館は、地図の上の方角に位置しているので、コレラ多発の共同井戸の近くを通ることはなかったであろう。

他方で、ジョン・スノウは、ソーホー地区で、❶→❷→❸の順で転居している。❷のフリス街に住んでいた時期のうち後半の1851～52年は、地図から見てわかるように、マルクスの住居とは道路を隔てて隣接していた。この2年間、マルクスとスノウは、お互いの仕事のことはまったく知らないまま（と、筆者は想像するのだが）、隣人として暮らしていたのである。

第2章

新型コロナ・パンデミックの衝撃
―― 感染症疫学と社会科学の視点から

これまで第1章では、もっぱら人類史のなかで何度も繰り返されてきたパンデミックの一般的・理論的な特徴についてみてきました。第2章以下では、より具体的に今回の新型コロナ・パンデミックに焦点を絞って、それが21世紀の資本主義にとって何を意味するか、考えてみましょう。

1.「新型コロナウイルス感染症」とは何か

新型コロナウイルス・パンデミックについて考察するために、「そもそもウイルスとは何か」という基礎的な知識、疫学的な用語と指標の意味を整理しておくことからはじめましょう。もうすでにさまざまな文献やＴＶなどの情報番組を通して知っておられる方は多いと思います。しかし、新型コロナウイルス感染症について考えるためには最低限必要な基礎知識なので、どうか「おさらい」のつもりで読んで、先へ進んでください。

（1）ウイルスとは？

ウイルス（virus）は、動物や植物、細菌などの生物の細胞に寄生し、自己と同じものを複製するという生物の特性をもっていますが、宿主の細胞の内でしか増殖できない数百ミリミクロン以下の病原体です。その意味では、ウイルスは、生物学においては、生物と非生物の中間的な性格をもつものとして位置付けられています。

ウイルスは、宿主により動物ウイルス・植物ウイルス・バクテリオファージ等に分類されます。

ウイルスはそれ自身の代謝系をもたず、ウイルス核酸を鋳型として宿主細胞の代謝系を介して必要な酵素タンパク質を合成し、ウイルス核酸を複製するとともに、核酸をつつむタンパク質ユニットをつくり、それらが集合して新しいウイルスを完成して宿主の細胞外に放出されます。宿主から放出された病原体としてのウイルスは、新しい宿主の細胞に入り込み、インフルエンザ、エイズ、重症呼吸器疾患など深刻な感染症を引き起こします。ウイルスにたいして生体がとる防御方法としては、今のところワクチン療法以外に直接的な特効薬はありません。

（2）さまざまなコロナウイルスと「新型コロナウイルス」

コロナウイルスとは、風邪などの呼吸器感染症を起こす〈コロナウイルス科〉に属するＲＮＡ（リボ核酸）ウイルスの一種のことです。自分自身で増えることはできませんが、粘膜などの細胞に付着して入り込んで増えることができます。“コロナ”という名称は、ウイルスの表面に花弁状の突起があり、太陽のコロナのように見えることからきています。

図2-1　コロナウイルス

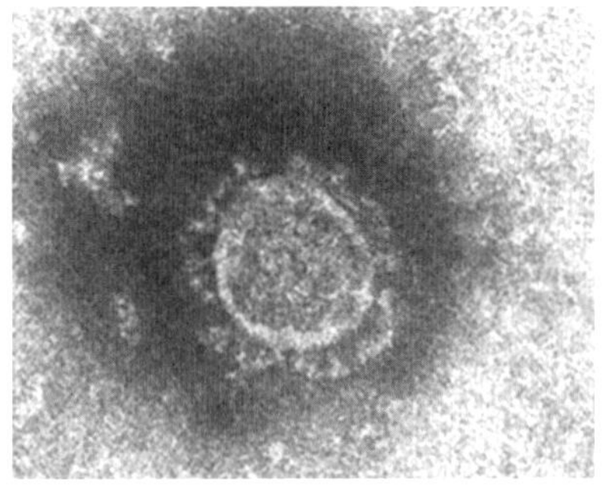

これまで確認されていたコロナウイルスは、動物だけを宿主とするものも含めて約50種類もあると言われます。そのうち人体に悪い病原体

となるウイルスには、2002年のＳＡＲＳ、2012年のＭＥＲＳなどがあります。

現在の新型コロナウイルスについては、厚労省は、次のように解説しています。

「これまでに、人に感染する『コロナウイルス』は、７種類見つかっており、その中の一つが、昨年12月以降に問題となっている、いわゆる『新型コロナウイルス（SARS-CoV2)』です。このうち、４種類のウイルスは、一般の風邪の原因の10～15％（流行期は35％）を占め、多くは軽症です。残りの２種類のウイルスは、2002年に発生した『重症急性呼吸器症候群（ＳＡＲＳ)』や2012年以降発生している『中東呼吸器症候群（ＭＥＲＳ)』です。コロナウイルスはあらゆる動物に感染しますが、種類の違う他の動物に感染することは稀です。また、アルコール消毒（70％）などで感染力を失うことが知られています」(厚労省のホームページより)。

（3）感染症とは？

昔は感染症に限らず、すべて多発する集団的な悪病のことを疫病とよんでいました。近年になって、細菌やウイルスなどの感染によって起こり、直接・間接に人から人へと流行する病気を伝染病と呼ぶようになりました。

日本で伝染病予防法が1897年（明治30年）に制定・施行された時の対象は８種の疾病でした（コレラ、赤痢、腸チフス、疱瘡、発疹チフス、しょう紅熱、ジフテリア、ペスト)。

20世紀後半から21世紀へかけて､経済のグローバル化にともなって、感染症の脅威は大きく高まるようになりました。地球上のあらゆる地域の開発がすすみ、人や物の移動が活発化し、環境の変化、生活様式の変容によって、新たな感染症が次々と発生しています。1970年以降，エボラ出血熱など少なくとも30以上のそれまで知られなかった感染症(新興感染症）が出現しています。また、近い将来には克服されると考えら

表２-２　感染症の分類（感染症法に基づく分類）

	性格
１類感染症	感染力、罹患した場合の重篤性などに基づく総合的な観点からみた危険性がきわめて高い感染症
２類感染症	感染力、罹患した場合の重篤性などに基づく総合的な観点からみた危険性が高い感染症
３類感染症	感染力、罹患した場合の重篤性などに基づく総合的な観点からみた危険性が高くないが、特定の職業への就業によって感染症の集団発生を起こしうる感染症
４類感染症	動物またはその死体、飲食物、衣類、寝具その他の物件を介して人に感染し、国民の健康に影響を与えるおそれのある感染症（人から人への伝染はない）
５類感染症	すでに知られている感染症の疾病（４類感染症を除く）であって、国民の健康に影響を与えるおそれがあるものとして厚生労働省令で定めるもの
新型インフルエンザ等感染症	（新型）新たに人から人に伝染する能力を有することとなったウイルスを病原体とするインフルエンザ
	（再興型）かつて世界規模で流行し、その後流行することなく長期間が経過しているものが再興したもの
指定感染症	**既知の感染症の中で上記の１～３類、新型インフルエンザ等感染症に分類されない感染症で、１～３類に準じた対応が必要な感染症**
新感染症	人から人に伝染するとみとめられる疾患であって、既知の感染症と症状と異なり、感染力、重篤性など総合的な危険性がきわめて高い感染症

（注１）鳥インフルエンザ及び新型インフルエンザ等感染症を除く。　（注２）Ｅ型肝炎及びＡ型肝炎を除く
（資料）『国民衛生の動向』（2020/21）などをもとに筆者が作成。

2020年3月現在

感染症名など	主な対応・措置
ペスト、エボラ出血熱、痘そう（＝天然痘）など	原則入院 消毒などの対物措置（例外的に、建物への措置、通行制限などの措置も適用対象とする）
結核、ジフテリア、重症急性呼吸器症候群（ＳＡＲＳ）、鳥インフルエンザ（Ｈ５Ｎ１）など	状況に応じて入院 消毒などの対物措置
コレラ、細菌性赤痢，腸チフスなど	特定職種への就業制限 消毒などの対物措置
Ｅ型肝炎、Ａ型肝炎、狂犬病、マラリア、鳥インフルエンザ（Ｈ５Ｎ１を除く）など。その他政令で定める31の感染症	感染症発生状況の収集、分析と、その結果の公開・提供 消毒などの対物措置（動物の輸入禁止、輸入検疫）
インフルエンザ（注１）、ウイルス性肝炎（注２）、後天性免疫不全症候群、性器クラミジア感染症、梅毒、麻しんなど。その他省令で定める33の感染性の疾病	国が感染症発生動向調査を行い、その結果等に基づいて必要な情報を一般国民や医療関係者に提供・公開していくことによって、発生・拡大を防止していく
新型インフルエンザ	・患者に入院勧告、就業制限など強制措置
再興型インフルエンザ	
●政令で１年間に限定して指定される感染症 新型コロナウイルス感染症	・厚生労働大臣が公衆衛生審議会の意見を聞いたうえで、１～３類感染症に準じた入院対応や消毒などの対物措置を実施
	・当初：都道府県知事が厚生労働大臣の技術的指導・助言を得て個別に応急対応
	・要件指定後：政令で症状などの要件指定をしたのちに一類感染症と同様の扱いをする

れてきた結核、マラリアなどの感染症（再興感染症）が再び脅威を与えるようになっています。

これら新興・再興感染症の出現を背景として、日本では、1998年（平成10年）に感染症法（感染症の予防及び感染症の患者に対する医療に関する法律）が制定され、1999年4月に施行されました。感染症法は、それまでの「伝染病予防法」、「性病予防法」、「エイズ予防法」の3つを統合し、さらに2007年には「結核予防法」を統合して、「人権尊重」や「最小限度の措置の原則」を明記するなどの改正がなされました。

現在の感染症法では、感染症を5つの類型に分け、さらに「新型インフルエンザ等感染症」「指定感染症」「新感染症」の3つのタイプをくわえて、8つの類型に分類しています **（表2-2）**。

今回の新型コロナウイルス感染症は、厚労省によって感染法上の「指定感染症」（表の網掛けの項）に、また検疫法に基づく検疫感染症に指定されました（2020年2月1日施行）。

（4）「ＣＯＶＩＤ－19」とは？

ＷＨＯは、2020年2月11日に、今回のパンデミックを引き起こした感染症疾患のことを、「ＣＯＶＩＤ－19」と命名しました。ＣＯＶＩＤ－19は、「コヴィドー19」と読み、Coronavirus Disease 2019の略です。「2019年に確認されたコロナウイルス（Coronavirus）による疾患(Disease)」という意味です。2019年というのは、この感染症疾患が最初に中国の武漢市で確認されたのが2019年12月だったからです。

ＷＨＯは、現在の世界でパンデミックに発展する恐れのある感染症として、インフルエンザ、SARS（サーズ:重症急性呼吸器症候群）、ペスト、肝炎、エボラ出血熱など19疾病をあげています。このうちのSARSは、コロナウイルスによる感染症なので、今回の新型コロナウイルスによる感染症も、ＷＨＯの19疾病の中に含まれると考えてもよいでしょう。「新型」というのは、これまで確認されていたＳＡＲＳ（サーズ）やＭＡＲＳ（マーズ）というコロナウイルスと比べて、新しいタイプのコロナウイルスという意味です。

（5）新型コロナ・パンデミックの感染力と危険性を示す指標

表2-3は、今回の新型コロナウイルス感染症の特徴をＳＡＲＳやＭＡＲＳと比較したものです。

表2-3　これまでのコロナウイルス（SARS、MERS）と新型コロナウイルスの比較

名称	発生時期	感染国・地域	感染者数	死者数	致死率
ＳＡＲＳ 重症急性呼吸器症候群	2002年11月～ 2003年7月	アジアを中心に 30か国以上	8096人	774人	10% 弱
ＭＥＲＳ 中東呼吸器症候群	2012年9月～	中東・欧州など 27か国	2494人	858人	30% 以上
新型コロナウイルス 感染症	2019年12月～	中国、アジア、 欧米など全世界 218か国・地域	4050 万人	111万 人	

SARS　（サーズ＝ Severe Acute Respiratory Syndrome ）は、2003年9月時点
MERS　（マーズ＝ Middle East Respiratory Syndrome）は、2019年11月時点
新型コロナウイルスは、日本時間2020年10月20日時点：WHO発表（出所）WHOの資料をもとに、筆者が作成。

新型コロナウイルスは、飛沫感染や接触感染で伝播し、その感染力（基本再生産数）はひじょうに強く、短期間に世界中に流行して深刻なパンデミックとなりました。通常は、軽度から中等度の呼吸器症状を起こしますが、ＳＡＲＳやＭＡＲＳのように重症化するものもあります。表をみると、今回の新型コロナウイルスによるパンデミックの危険性がわかります。（なお、致死率については、感染流行が収束した後で明らかになるので、現在の時点では、ＷＨＯや国際的な研究機関の間でも、まだいろいろな意見があり、表には明記してありません）。

基本再生産数　「１人の感染症患者から何人に感染させるか」を表す数値。１人の感染者が生み出す２次感染者数の平均値。感染症の感染力（うつりやすさ）の指標として使われます。

致死率（致命率）　致死率（ちしりつ）とは、致命率とも言い、ある病気の罹患（りかん）者中、その病気で死亡する者の割合（百

分率）のことです。疾病の重篤度を示す指標です。ただし慢性疾患などでは有病期間が長いので、観察期間による指標が必要です。十分に長い観察期間をとった場合、下記の関係が成り立ちます。

致死率＝（死亡率）／（罹患率）

伝染病統計では、1年間の患者数にたいするその年の死亡者数の割合で示します。

（6）新型コロナ・パンデミックの感染状況を判断する6つの指標

政府の新型コロナウイルス有識者会議の分科会は8月7日、感染状況を判断するための6つの指標と数値基準を示しました。また、その6つの指標にもとづく感染の進行状態をステージ1（感染者の散発的発生）からステージ4（爆発的な感染拡大）までの4段階に分け、それぞれのステージでの対応策を示しました。

表2-4　分科会がまとめた感染状況の判断指標

6つの指標／感染段階	病床使用率（全体・重症者用それぞれ）	10万人当たり療養者数	PCR陽性率	1週間・10万人当たり新規感染者数	直近1週間と前週の比較	感染経路不明割合
ステージ3 指針を守らぬ酒提供の飲食店に休業を要請	現時点の病床の25%以上、最大で確保できる病床の20%以上	15人以上	10%	15人以上	新規感染者数が前週を超える	50%
ステージ4 緊急事態宣言を検討	最大で確保する病床の50%以上	25人以上		25人以上		

（注）ステージ1、ステージ2は特に基準なし

6つの指標としては、①「病床のひっ迫具合」／②「療養者数」／③「ＰＣＲ検査の陽性率」／④「新規感染者数」／⑤「直近1週間と前の週の感染者数の比較」／⑥「感染経路が不明な人の割合」の6項目が

あげられています。そして、これらの６つの指標にもとづいて、たとえば、①「病床のひっ迫具合」指標についていえば、自治体が確保している病床の４分の１以上が埋まったときには、ステージ３となり、自治体に休業要請などの対応を促すことになります。さらに病床の50％以上が使用されるようになるとステージ４になり、緊急事態宣言の検討が必要になるとしています。

2．コロナ・パンデミックへの対応（A）
―― 感染症疫学と感染症対策

パンデミック対応策という場合、感染症そのものの流行を食い止めるための疫学的（医学的、公衆衛生的）な対応策（A）、パンデミックによる経済的被害にたいする政策的対応策（B）、新型コロナウイルスに対する治療薬とワクチンの開発（C）という３つの異なった性格の対策があります。もちろん、この３者は深く絡み合っていますが、分けてとらえることができるでしょう。世界各国で、それぞれの歴史的な事情で異なっていますが、ここでは日本の場合について見ておきましょう。

まず、疫学的対応策（A）については、《法制的な仕組み》による対応と、それを医療現場で具体化する《医療・公衆衛生体制》の両面を含んでいます。

（1）法制的な仕組み

1）感染症法

疫学的対応の法制的な柱は、感染症法です。前述のように、政府は２月に、感染法にもとづく政令でＣＯＶＩＤ－19を「指定感染症」と定め、ＳＡＲＳなどと同じ「２類相当」にしました。そこで、感染者はすべて入院勧告の対象となりましたが、全体の８割に達する無症状や軽症の人まで入院すれば病床不足を招いて重症化しやすい高齢者らの受け入れが困難になるとして、政令の改正によって感染症法の運用を見直して入院の対象を狭めることにしました。

厚生労働省はこれまでも通知を出して無症状者や軽症者の自宅やホテルでの療養を認めてきましたが、地域や医療機関によって対応はばらばらです。その時々の状況で通知を重ねていくのでルールがわかりにくくなります。検疫法による水際対策との整合性もとる必要があります。

ＣＯＶＩＤ－19は、とりあえず政令で「指定感染症」と位置付けられましたが、この政令による指定は、2021年１月末までの時限措置です。１年に限り延長できますが、より恒久的な法的効力を持たせるためには、感染症法本体の法改正で対処すべきだという意見もあります。

２）検疫法

検疫法は、検疫伝染病（コレラ・ペスト・痘瘡・黄熱）の病原体が船舶・航空機を介して国内に侵入することを防止するための措置を定めた法律（1951年公布，1952年施行）です。検疫、患者等の隔離、汚染船舶などの停留､その他の措置は検疫法によって実施されます。こうした措置は、検疫伝染病以外の感染症に準用することができます。

今回のコロナ・パンデミックの最初の時期の2020年２月、感染者の乗船したクルーズ船が横浜港に入港したさいに、検疫法の規定により、乗組員、乗客、貨物などは、それぞれ検疫官による質問、診察、検査を受けました。検疫の結果、検疫感染症患者（疑似を含む）が発見され、船内の消毒、感染者の隔離と入院、物品の移動禁止・廃棄などの措置、汚染した可能性のある潜伏期間内の乗組員、乗客の監視などがおこなわれました。

（２）医療・公衆衛生体制

感染症法、検疫法は、感染症にたいする疫学的対応の直接的な法制ですが、そうした法的措置を実際におこなうのは、医療・公衆衛生の供給体制です。いくら対応策を政治的に決定しても、医療現場の体制がなければ絵に描いた餅になってしまいます。

1）医療法による医療施設（感染症病床）の整備

医療・公衆衛生体制にかかわる法制度は多数あります。それらのなかでも、医療法は、医療施設に関する基本法として重要です。医療法では、病院・診療所・助産所の開設、施設・管理等の基準、行政庁の監督、医療計画、国・公立等の公的医療機関の設置・補助、医療法人、医業に関する広告等について規定しています。医療法は1948年に制定され、現状の変化と必要に応じて、2020年までに9次の改正を経てきています。

感染症法は、先に述べたように、感染症を、その感染力や罹患した場合の症状の重篤性などにもとづいて、1類感染症から5類感染症に分類するとともに、新型インフルエンザ等感染症、指定感染症、新感染症の類型を設けています。そして、医療体制についても、各感染症に応じて良質かつ適切な医療を提供していく観点から、厚生労働大臣が指定する特定感染症指定医療機関、都道府県知事が指定する第1種感染症指定医療機関と第2種感染症指定医療機関などを法定化しています。

医療・公衆衛生体制の再編によって、従来の伝染病専門の伝染病院は廃止され、伝染病床は感染症病床に名称も変えられました。同時に、全国の感染症指定病床は、1998年に9210床あったものが、2018年には1882床に減少してきています（感染症病床の減少の意味については、次章〔第3章〕でとりあげます）。

2）地域保健法による保健所の再編

今回のコロナ禍が起こってから、毎日のニュースで“ＰＣＲ検査”がとりあげられるようになりました。ＰＣＲ検査とは、コロナウイルスに感染しているかどうかを判断するために、唾液などの体液から検体を採取し、特定のＤＮＡだけを増やす検査です。検体を採取する際に周囲に感染を拡大させる恐れがあるため、院内感染防止や検査の精度管理の観点から、保健所などがＰＣＲ検査の相談窓口となり、体制が整っている医療機関が検査をおこなってきました。

1994年に保健所法が地域保健法に改定され、これまでの保健所が広域化した所管区域へ統廃合されました。その結果、小さな市町村の保健所は「保健センター」となり、母子保健サービスや老人保健サービスなどを一体的に実施するかわりに、これまでの保健所として持っていた機能と権限の一部を移管してしまいました。こうした組織再編の結果、ＰＣＲ検査を受け付ける保健所の数は、1990年の850から、2018年には469に約半減しました（保健所数の減少の意味についても、次章〔第３章〕でとりあげます）。

コロナ禍のなかで、2020年３月からＰＣＲ検査に医療保険が適用されることになり、保健所を経由することなく、医療機関が窓口となり、民間の検査機関などに直接依頼できるようになりました。

３）医療を支える人材

感染症の爆発的流行による医療崩壊の懸念は、感染症病床や医療機器などの医療設備、保健所が不足していることとともに、より重大なのは、感染症医療を支える人材不足の問題です。

感染症の医療には、医師、保健師、看護師、各種検査技師、薬剤師、医療事務職員など、専門的な技術経験のある多数のスタッフが必要です。また感染症研究に従事する研究・開発に従事する専門スタッフも必要です。こうした人材を育成する教育者も必要です。優れた人材の体制がなければ、病院や医療設備があっても、感染症治療はおこなえません。のちに第３章でみるように、日本では、自公政権の「新自由主義」路線のもとで、効率化を基準に医療資源への財政支出が切り詰められ、その負担がもっぱら医療従事者にしわ寄せされてきました。医療従事者の不足は、現職の医療従事者の過重労働、長時間労働を恒常化させています。

４）「医療介護総合確保推進法」にもとづく「地域医療構想」

2014年に安倍内閣のもとで制定された「医療介護総合確保推進法」は、「効率的かつ質の高い医療と地域包括ケアの総合的システム」をかかげて、その柱の１つとして「地域における効率的かつ効果的な医療提供体制の確保」をかかげています。

こうした基本方針のもとに、数次にわたって医療法や医師法が改正され、都道府県は「地域医療構想」による体系的な医療提供体制を確保する「医療計画」の策定を義務づけられています。

これまで安倍内閣が推進してきた「医療介護総合確保推進法」にもとづく「地域医療構想」は、今回のコロナ・パンデミックのもとで、感染症対策が十分には組み込まれていなかったという弱点を露呈しました(この点についても、次の第3章でとりあげるので、ここでは指摘するだけにしておきます)。

3．コロナ・パンデミックへの対応（B）——政治的、経済的対策

コロナ・パンデミックへの日本政府の政治的、経済的な対応策（B）は、4つの時期に分けてとらえることができるでしょう。第Ⅰ期（2020年、1月～3月）緊急事態宣言が発出される以前、第Ⅱ期（4月～5月）新型インフルエンザ等対策特別措置法（改正）による緊急事態宣言の時期、第Ⅲ期（6月～8月）緊急事態宣言解除後の時期、第Ⅳ期（9月～）菅内閣成立後の時期です（巻末の付表Ⅰを参照)。

第Ⅰ期　1月～3月。指定感染症 —— 初動の立ち遅れ

この時期には、1月30日に内閣府に「新型コロナウイルス感染症対策本部」が設置され、医学的見地から助言をおこなう専門家会議が設置されました。

安倍内閣は、新型コロナウイルス感染症を指定感染症・検疫感染症へ指定（2月1日）し、横浜港に入港したクルーズ船の乗客・乗員の検査・隔離など、もっぱら海外からの入国者への規制（水際対策）の強化に力を入れました。

専門家会議は、日本ではまだ爆発的な感染拡大は起きていないが、将

来のオーバーシュート（爆発的患者急増）にいたる集団感染対策として、いわゆる「３密」（①換気の悪い密閉空間、②多くの人が密集、③近距離での会話や発声）を避けること、外出時のマスクの着用を強調しました。

この時期の政府は、パンデミックに備えての医療提供体制の整備には、ほとんど手をつけませんでした。感染の疑いがある者についてはＰＣＲ検査の医療保険適用を可能とし、保健所の「帰国者・接触者相談センター」に電話相談した上で、「帰国者・接触者外来」を受診するように周知した程度でした。

政府は、経済対策の面でも、マスク転売の禁止、雇用調整助成金の特例措置の拡大、中小・小規模事業者への資金繰り支援などをおこなっただけでした。

ところが安倍首相は、２月27日に、専門家会議の意見も聞かずに、突然「全国の小中高校の休学」を会見で要請して、その唐突な要請に教育現場では困惑が広がりました。プロ野球やサッカーＪリーグは開幕を延期し、３月24日には東京五輪も１年延期と決定されました。

感染症対策で最も重要な時期の初動の立ち遅れは、ＰＣＲ検査体制の不備など、後々にまで影響を及ぼすことになります。

第Ⅱ期　4月～5月。緊急事態宣言、緊急経済対策
―― 自粛には補償を

新型インフルエンザ等対策特別措置法（改正）が３月13日に成立し、同法の対象に新型コロナウイルス感染症を追加する暫定措置が規定されました。安倍内閣は、これまでの内閣府の感染症対策本部を同法にもとづく政府対策本部として位置づけ、３月28日に「新型コロナウイルス感染症対策の基本的対処方針」を決定し、４月７日に、次のような緊急事態宣言を発出しました。

●緊急事態宣言の期間は、４月７日～５月６日の１カ月間。対象区域は当初、埼玉県、千葉県、東京都、神奈川県、大阪府、兵庫県、福岡県の

７都府県。その後、対象地域を全都道府県に拡大し、従来対象区域としていた７都府県に６道府県（北海道、茨城県、石川県、岐阜県、愛知県、京都府）を加えた13都道府県を、特定警戒都道府県に指定（４月16日）。

●緊急事態宣言の期間は、人と人の接触については、最低７割極力８割の削減を要請。また、外出の自粛、施設使用・催物開催の停止、営業の自粛を要請。

●緊急事態宣言と同時に「緊急経済対策」を決定。その実施のための第１次補正予算（25.7兆円）が４月30日に成立。

○「緊急経済対策」は、〈感染拡大防止策と医療提供体制〉として、軽症者の医療機関以外の療養場所の確保、治療薬の開発、オンライン診療・電話診療の拡充、全世帯へのマスク２枚配布など。

しかし、ＰＣＲ検査体制の強化や感染症病床の確保などは、引き続き、きわめて不十分なまま。

○「緊急経済対策」は、〈生活困窮世帯への支援〉として、当初は30万円の給付を組んでいたが、国民の批判を受けて、全国民を対象とした，１人当たり10万円の給付に変更（４月16日）。

○「緊急経済対策」は、〈雇用の維持と事業の継続〉として、雇用調整助成金の特例措置の拡大、中小・小規模事業者の資金繰り支援、フリーランスなどの個人事業主の事業継続を支える給付金。

○「緊急経済対策」は、〈地方公共団体〉のために、新型コロナウイルス感染症対応地方創生臨時交付金制度を創設。

●緊急事態宣言の期間延長と解除

安倍内閣は５月４日に、緊急事態宣言の期間を５月31日まで延長すると決定。

●５月14日には、８都道府県（北海道、埼玉県、千葉県、東京都、神奈川県、京都府、大阪府および兵庫県）以外の県については，緊急事態宣言を解除することを決定。

●５月25日に、専門家会議の提言を受けて「基本的対処方針」で定めた、感染の状況、医療提供体制、監視体制の３点を踏まえ総合的に検討した結果、すべての都道府県について緊急事態措置を実施すべき区域に該当しないと判断し、緊急事態宣言を解除。

緊急事態宣言とともに、4月以降は、観光業、飲食業、商店街などの営業にたいして、なんら補償がなされないまま「自粛」が要請されるようになり、個人事業者、中小企業者の経営は深刻な打撃を受けるようになりました。この時期から、「自粛には補償を」という声が全国的に高まりました。

第Ⅲ期　6月～8月。深刻な経済危機
――問われる経済危機への対応

安倍内閣は、緊急事態宣言を解除した直後、第2次補正予算案（31.9兆円）を国会に提出し、6月12日に成立しました。その概要は、○雇用調整助成金の拡充等、○資金繰り対応の強化、○家賃支援給付金の創設、○医療提供体制の強化、○感染症対応地方創生臨時交付金の拡充、○低所得のひとり親世帯への追加的な給付、○文化芸術団体支援、などでした。

緊急事態宣言の時期から引き続いて、とりわけ個人事業者、中小企業者の経営困難が深刻化し、「自粛には補償を」の要求が全国的に強まりました。

この時期には、2020年に入ってからの経済統計がしだいに発表されはじめて、世界と日本のコロナ・ショックによる経済危機の様相が明らかとなってきました。国際経済機関は、相次いで2020年の経済見通しを発表、いずれも第二次世界大戦後最大のマイナス成長に落ち込むのは必至との予測でした（詳細は、第4章の表4-1を参照）。国境規制にともない、多国籍企業のサプライチェーンの分断で、生産が停止・縮小し、グローバルな再生産活動が急激に攪乱されはじめました。世界的なパンデミックが長引き、各国の国境規制の対応が続くならば、WTO（世界貿易機関）は、「悲観的シナリオ」として、2020年の世界のモノの貿易

量は戦後最悪の32%減少（年間）との予測を発表しました。

日本でも、8月17日に発表されたＧＤＰ統計では、2020年4-6月期の実質成長率は年率で－27.８％（2次速報値では－28.1%）になるという深刻な経済危機の実態が明らかになりはじめました。

第Ⅳ期　9月～、安倍首相辞任、菅内閣成立
―― 感染防止と経済活動の両立

安倍首相は、8月28日の会見で、「新型コロナウイルス感染症に関する今後の取組」（以下「今後の取組」と略）を発表するとともに、自身の病気を理由に辞任することを明らかにしました。9月初めの自民党の総裁選挙のあと、9月16日に菅義偉（すがよしひで）内閣が成立しました。

政府が発表した「今後の取組」は､次の７つの課題をかかげています。

１．感染症法における入院勧告等の権限の運用の見直し／２．検査体制の抜本的な拡充／３．医療提供体制の確保／４．治療薬、ワクチン／５．保健所体制の整備／６．感染症危機管理体制の整備／７．国際的な人の往来に係る検査能力・体制の拡充

「今後の取組」は、「これらの取組を実施することにより、感染拡大防止と社会経済活動との両立にしっかりと道筋をつける」ためであることを強調しています。つまり、政府が４月に緊急事態宣言を発して、「 国民に対し、『最低７割、極力８割程度の接触機会の低減』を呼び掛けた。これにより感染状況は改善したが、社会経済活動全般にわたり大きな影響が生じた」。そこで、「今後の取組」では、「感染拡大防止と社会経済活動との両立」を課題にするという認識です。

しかし、「感染状況は改善した」という現状認識のもとで、「今後の取組」の重点を「両立」に切り替えるためには明らかにしておくべき課題があります。たとえば、コロナ危機のなかで露呈することになった、こ

れまでの長年にわたる感染症対策の問題点への反省、感染症病床や保健所の減少、現場の医療・公衆衛生の人材不足の問題などなど、新たな感染拡大に備えるべき優先的課題が、経済活動との「両立」を急ぐあまり、見過ごされていく危険があります。

4．コロナ・パンデミックへの対応（C）
―― 治療薬およびワクチンの研究開発

新型コロナウイルス感染症の治療薬やワクチン開発および実用化に向けて、世界各国が取り組んでいます。日本でも、厚生労働省は、2020年5月、新型コロナウイルス感染症に対する医薬品は、最優先で審査または調査を行うことを通知し、早期の申請・承認に取り組んでいます。

政府は、治療薬に関しては、エボラ出血熱の治療薬として開発されたレムデシビルには一定の治療効果があり、安全性も許容範囲であるとして、患者の文書による同意などの条件で、特例承認を認めました。また、これ以外にも、治療薬の候補となる薬剤についての研究を進めています。

ワクチン（vaccine）は、感染症を予防するため、生物が持つ免疫システムを活用した医薬品です。あらかじめ病原性を弱めたり、毒性がなくなったりしたウイルスや細菌を体内に投与（予防接種）することで、病原体への抵抗力をつける仕組みです。

ワクチンの開発は、コロナ・パンデミックを終息させる切り札になるので、それだけに各国とも、膨大な国家資金を投入しています。開発に成功すれば世界各国が購入しますから、巨額な利益も得られます。そこから、世界中の薬品大企業が激烈なワクチン開発競争を進めています。

しかし、新しいワクチンの開発には、予期しない副作用というひじょうに大きな危険がともなっており、開発から実際に供与されるようになるまでには、慎重に慎重を重ねた治験（治療試験）が求められます。それだけに、長期の時間もかかります。

新聞報道（2020年9月7日）によると、開発で先行していた英国のアストラゼネカ社は、治験参加者に深刻な副作用が現われたために、最終段階の臨床試験を９月に一時中断しました（その後、再開)。効果や安全性が確立されていないにもかかわらず、世界でワクチンに対する期待が先行しています。

表２-５　主な新型コロナワクチンの開発状況

企　業	臨床試験の進捗状況	実用化目標
アストラゼネカ（英）※	最終段階（一時中断）	2020 年９月？（全世界に 20 億人分）
ファイザー（米）※	最終段階	20 年中（21 年に数億人規模）
モデルナ（米）※	最終段階	20 年 10 月メド（5～10 億人分）
シノバック・バイオテック（中）	最終段階	８月に中国で緊急使用許可
アンジェス（日）※	第一段階	21 年春以降の承認

（注）新型コロナウイルス感染症対策分科会の資料などから作成。実用化目標のカッコ内は供給目標。※は日本に供給予定
（出所）「日経新聞」、2020 年９月９日付

トランプ米政権は 11 月の大統領選を視野にいれて、迅速なワクチン開発を後押ししており、米食品医薬品局（ＦＤＡ）は治験終了前に条件付きで投与を認める「緊急使用認可」を検討していると伝えられます。ロシアや中国は、それぞれ欧米に先駆けて、８月に自国産のワクチンを承認したと伝えられます。

こうしたワクチン開発競争が激化するなかで、欧米の大手製薬会社９社が９月８日、ワクチン開発では安全確保を最優先し、効果が確認されるまでは当局に承認を求めないことを申し合わせるとの共同声明を発表しました。

日本では、８月 28 日の「新型コロナウイルス感染症に関する今後の取組」のなかで、「令和３年前半までに全国民に提供できる数量を確保することを目指す」と言明しています。菅首相は、９月 16 日の最初の就任会見のなかで、この点を強調しました。

ＷＨＯ（世界保健機関）は、2020 年５月の年次総会で、新型コロナウイルス対策に必要な医療技術、医薬品への「普遍的で迅速、公平なアクセスと公正な配分を保証」することを求める決議をおこないました。同決議では、ワクチンについては「安全で質が高く、効果的で入手しやすく、手ごろな価格」で「人々の健康を守る世界公共の有用物」でなければならない、世界のどこであれワクチンを必要とするすべての人に十

分行きわたるよう国際協力の強化が求められるとしています。そして、加盟国には、組織を超えた技術の結集、WHOとの情報共有を要請しています。

5　21世紀のパンデミック
―― 全人類的課題としての医療問題

ここまで第2章では、主として、日本における新型コロナウイルス感染症の影響と対応策を中心に考察してきました。しかし、今回のコロナ・パンデミックで明らかになったことは、感染症の問題、あるいは一般的に医療・公衆衛生の問題は、基本的に全人類的な課題であるということです。

(1)「COVID－19」の急激な感染拡大

新型コロナ・パンデミックの発端から今日までの感染拡大の経過を振り返ってみましょう。

原因不明の肺炎（後に新型コロナウイルスによるものと確認）の事例が

表2-6　COVID-19：世界の感染者、死者の増加

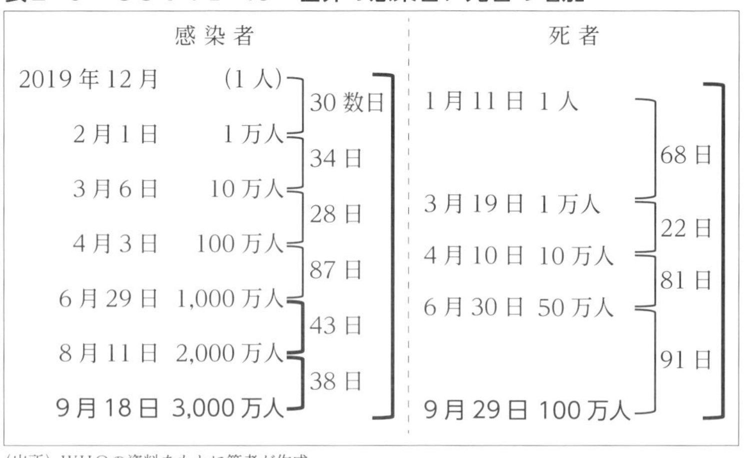

感染者

日付	感染者	間隔
2019年12月	(1人)	
		30数日
2月1日	1万人	
		34日
3月6日	10万人	
		28日
4月3日	100万人	
		87日
6月29日	1,000万人	
		43日
8月11日	2,000万人	
		38日
9月18日	3,000万人	

死者

日付	死者	間隔
1月11日	1人	
		68日
3月19日	1万人	
		22日
4月10日	10万人	
		81日
6月30日	50万人	
		91日
9月29日	100万人	

（出所）WHOの資料をもとに筆者が作成

最初に中国の武漢で発症したのは2019年12月でした。WHO（世界保健機関）と中国政府がそれを発表したのは、年が明けて1月9日、WHOが「緊急事態宣言」を発したのは1月30日、パンデミックを宣言したのは3月11日のことでした。それから半年余で、コロナウイルスによる感染症は世界5大陸に広がり、21世紀に入って最大のパンデミックに発展しています。本書の校正時点（10月20日）では、世界の感染者は4050万人、死者は111万人を超えて、いまなお終息の兆しが見えていません。

きわめて短期間に新型コロナ感染が世界に広がり、大規模なパンデミックが起こったのは、なぜなのか。とりわけ、パンデミックは世界的流行であることから、地球規模の経済のグローバリゼーションとパンデミックの関係の分析が求められます。

（2）全人類的な視野で考えなければならない感染症問題

人間ならだれでも、それぞれの人生のなかで、否応なく医療問題に直面せざるを得なくなる時があります。とくに高齢期になると、日常の暮らしのなかのかなりの部分が、時間的にも、家計の支出の面でも、医療や介護の問題で占められるようになります。

21世紀に勃発したコロナ・パンデミックは、このような個人的な体験としての医療問題を、いわば全人類がいっしょに、同時的に体験する課題にいっきょに押し上げることになりました。

筆者も参加したオンライン座談会「パンデミックと資本主義」(『経済』、2020年10月号）のなかで、横山壽一氏は、次のように指摘しています。

> 「社会科学的な意味でいえば、医療は、社会的共同的な生活基盤であり、マルクスが『ゴータ綱領批判』で社会的総生産から控除されるべきものとして挙げた『共同で欲求を満たすための設備』『事故や天災に備える予備積立または保険積立』として位置づけることができます。したがって、社会的共同的な管理の下で計画的に整備を進めていくべき課題です」(同誌、78頁)。

筆者は、この座談会のなかで、この横山発言を受けて、次のように述べました。

「横山さんが、マルクスの『ゴータ綱領批判』を引きながら、『医療は、社会的共同的な生活基盤』であると言われました。この視点はきわめて大事だと思います。とりわけ感染症の場合は、国境をこえて広がりますから、国内だけではなく、まさに全人類的な規模で『社会的共同的な生活基盤』を考える必要があると思いました。しかも、21 世紀のパンデミックと全人類的な課題としての医療問題は、とりわけ情報通信革命、インターネット時代のパンデミックという特徴です。2020 年は、そのような意味で、否応なく医療問題が全人類的な共通課題になった年になったと思います」(同誌、80 頁)。

パンデミックと全人類的な課題としての医療問題は、情報通信革命、インターネット時代の進行によって拍車をかけられています。これは、21 世紀のパンデミックの特徴といえるでしょう。

パンデミックの世界的規模の広がりと感染速度が急激であるために、医療崩壊の危険、保健・公衆衛生体制の崩壊が起こる国が増えています。パンデミックがあまりにも急速に進行しているために、各国が自国の対応で手いっぱいで、国際的な救援体制がとれない危機に陥っています。感染の地域的（量的）な広がりという意味だけでなく、質的にもパンデミックが深まっています。

コロナ・パンデミックを世界的に収束させるには、各国が国内的な対策を進めるだけではなく、国際的な協力体制を強めることが不可欠です。

（3）パンデミックの終息めざし、ＷＨＯのもとで国際協力を

21 世紀に入り、感染症とのたたかいの新しい時代を迎えて、WHO のもとで国際協力の取り組みが発展してきました。たとえば、エイズ（ＨＩＶ＝ヒト免疫不全ウイルスによって引き起こされる感染症）にたいしては、WHO だけでなく国連や世界銀行なども参加して、多様な国際協力の取り組みが発展して、感染者の増大を抑えてきました。また、西アフリカで発生したエボラ出血熱については、国連エボラ緊急対応ミッ

ションが設立され、国際社会が協力して世界的な蔓延をおさえてきました。

ＷＨＯは感染症との国際的なたたかいを促進するため、2005年に国際保健規則（ＩＨＲ）を抜本的に改正して、それまでの３疾患（黄熱、コレラ、ペスト）から、「国際的に公衆衛生上の脅威となりうる、あらゆる健康被害事案」に対象を広げ、発生すれば速やかにＷＨＯに報告するようにしました。このＩＨＲの規定に従って、中国政府は、2019年12月31日に、武漢で発生した原因不明の呼吸器疾患をＷＨＯに通知しました。その結果、2020年は年初から、新型コロナ・パンデミックとの国際協力の歴史的なたたかいの年となりました。

ＷＨＯは、１月末に「緊急事態宣言」、３月に「パンデミック宣言」を発して対応ガイドラインを発表し、５月末にはワクチン、治療薬、診断ツールを国際的に共有するためのイニシアティブを立ち上げるなど、国際協力の基本的な役割を果たしてきました。

しかし、米国のトランプ大統領は、「WHOが中国寄りである」などと言いがかりをつけて､7月初旬にはWHO脱退を正式に通告しました。５月のＷＨＯ総会、９月の国連総会は、米中両国が激しく対立して、全世界が一丸となってコロナ禍とたたかう国際協力の流れに水をさしました。コロナ・パンデミックとのたたかいの国際協力は、それとは逆流する動向との激しいせめぎあいになっています。

現在のWHOは、強制力を与えられていないため、加盟国の自発的な協力があって初めて機能します。感染症対応の国際条約である国際保健規則の改定によって、WHOの権限を強化していくことも必要になっています。

【コラム❷】

ナイチンゲールと疫学、医療統計学

フローレンス・ナイチンゲール

疫学の歴史を調べると、ジョン・スノウとともに、忘れてならないのが、フローレンス・ナイチンゲール（1820 − 1910）です。ナイチンゲールは、エンゲルスと同じ1820年生まれですから、マルクス、エンゲルス、スノウらとほとんど同時代を生きた人です。

ナイチンゲールと言えば、英国でナイチンゲール看護学校を設立するなど、近代的看護技術の開拓者として知られています。子ども向けの偉人伝では、「白衣の天使」としておなじみです。

たしかに、ナイチンゲールは、1854年にクリミア戦争に英国が参戦したさいに、ロンドンの篤志看護婦38名を率いて野戦病院に出征し、看護師として活動して、帰国後は多くの病院・施設の開設や改善に努力し、看護についての数多くの著作も執筆しました。

しかし、統計学の歴史の本を紐解くと、ナイチンゲールは、統計学の学問としての生成期に大きな役割を果たした「偉大な統計学者」の１人として登場します。

ナイチンゲールは、クリミア戦争の陸軍病院での死亡者は、大多数が戦傷ではなく、病院内の不衛生（蔓延する感染症）によるものであることを、患者と死亡率の関係を徹底的に調査し、統計的に分析して証明しました。ナイチンゲールの疫学的提言によって、病院の衛生改革が実行され、約42%まで跳ね上がっていた死亡率は５％にまで急減しました。

クリミア戦争から帰国後も、ナイチンゲールは、近代統計学の創始者と言われるベルギーのアドルフ・ケトレーの教えを受けながら、英国の医療改革、公衆衛生の改革のために統計調査と分析をおこない、衛生統計の統一基準など、疫学的統計学の発展に寄与しました。こうした実績によって、ナイチンゲールは1859年にイギリス王立統計学会の初の女性メンバーに選ばれました。ナイチンゲールの提案した衛生統計の統一基準は、1860年の国際統計会議で採択され、今日にまで続く疫学的な統計の基礎を築きました。

ところで、ナイチンゲールとマルクスとは、直接の接点はないようです（お互いに言及した文献はない）。ただ、間接的な接点としては、２点を指摘することができます。

（1） マルクスは、『資本論』の中で、ジョン・サイモンの『公衆衛生報告書』を高く評価して、繰り返し引用している。エンゲルスも、サイモンがブルジョアジーにたいする激しい怒りを持って闘ったと評価している。しかし、ナイチンゲールは、1858年の論文のなかで、サイモンの公衆衛生の調査・分析の手法に統計的な不備、ずさんさがあると厳しく指摘している。

（2） マルクスは、コレラのたび重なる流行は、イギリスのインドに対する植民地支配の暴虐さが根源にあると糾弾している。ナイチンゲールは、帝国主義本国の文明的達成を植民地にも裨益（ひえき）するという立場から、十数年にわたってインドの衛生状態を調査・分析し「植民地衛生改革の提言」をまとめている。

マルクスは、おそらくナイチンゲールのこうした仕事については、まったく知るよしもなかったと思います。

（資料）多尾清子『統計学者としてのナイチンゲール』（医学書院、1991年）

第3章

コロナ・パンデミックと「新自由主義」路線の悪行

第1章で、マルクスの19世紀のコロナ大流行についての論評を紹介しました（20頁）。マルクスは、結論として、「コレラ大流行は、人間の苦難が人間の悪行と結びついていることを示す、痛烈な、きびしい実例だ」と述べて、イギリス帝国主義の「悪行」批判の視点を明確にしました。

2020年に世界を襲ったコロナ・パンデミックは、「新自由主義」路線の強行という「悪行」が、コロナ禍という苦難と結びついていることを、あらためて白日の下にさらしだしています。

フランスの歴史人口学者のエマニュエル・トッドは、「朝日」紙のインタビュー（2020年5月20日付）に答えて、次のように述べています。

「フランスで起きたことのかなりの部分は、この30年にわたる政策の帰結です。人々の生活を支えるための医療システムに割く人的・経済的な資源を削り、いかに新自由主義的な経済へ対応させていくかに力を注いできた。その結果、人工呼吸器やマスクの備蓄が足りなくなった。感染者の多くを占める高齢者の介護施設も切り詰めてきた」。「これまで効率的で正しいとされてきた新自由主義的な経済政策が、人間の生命は守らないし、いざとなれば結局その経済自体をストップすることでしか対応できないことが明らかになったのです」。

トッドは、「フランスで起きたこと」と限定した言い方をしています。しかし、「新自由主義」路線のもとで、「医療システムに割く人的・経済的な資源を削減」してきたことは、日本を含め資本主義諸国のどこにでも当てはまることです。

第３章では、日本で、自公政権の「新自由主義」路線の「悪行」が、いかなる結果を招いたか、いくつかの具体的事例をもとに検証してみましょう。

１．感染症病床と保健所の減少
――「新自由主義」路線 ＝ 自公政権の感染症対策の失敗（１）

自公政権のコロナ対策の背景には、1990年代以来の自公政権のもとで推進されてきた「新自由主義」路線の医療政策があります。

自公政権による「新自由主義」路線のもとで、数十年にわたって医療・感染症対策の専門機関・職員を大幅に縮小・弱体化させてきてしまったことです。こうした過去の自公政権の「悪しき遺産」としての制度改悪の爪痕が、安倍内閣そしてその忠実な承継政権である菅内閣のコロナ・パンデミック対応策の混迷に拍車をかけています。

たとえば、「悪しき遺産」という

表３-１　感染症指定病床数と保健所数の推移
（1990年代後半に大幅に減少した）

	感染症指定病床	保健所
1990	12,199	850
1994	10,343	847
1995	9,974	845
1996	9,716	845
1997	9,408	706
1998	9,210	663
1999	3,321	641
2000	2,396	594
2008	1,785	517
2011	1,793	495
2014	1,778	490
2017	1,876	481
2018	1,882	469

← 地域保健法施行　1994年7月一部施行　1997年全面施行（1994年の行）

← 感染症法施行（1999年4月）（1999年の行）

（資料）厚労省「医療施設調査」などをもとに、筆者が作成。

点では、コロナ対策の正面に立って頑張っている医療機関が、長年の医療費の削減による医療設備、医療スタッフの不足によって、どんなひどい状態になっているか。すでに第２章でも触れたように、全国の感染症指定病床は、1990 年に１万 2,199 床ありましたが、2018 年には 1882 床に減っています。ＰＣＲ検査などの専門機関である保健所は、1990 年に 850 か所ありましたが、2018 年には 469 か所に半減しています。

ここで留意すべきことは、**表３-１**からわかるように、感染症病床の減少は、従来の伝染病法から感染症法へ改定された 1998 年から 99 年にかけて、また保健所数の減少は、1994 年の従来の保健所法から地域保健法へ改定された 1994 年からの数年間で、急激に推進されたということです。

感染症法の制定は、公衆衛生審議会の報告書「新しい時代の感染症対策」(1997 年 12 月）にもとづいて、新興感染症や再興感染症の脅威という新しい時代の要請に応えようとしたものでした。

『厚生白書』(1997 年版）は、「新しい感染症の時代」について、次のように述べています。

「近年の新興・再興感染症の出現は、こうした人間と病原体の間の生態学的な平衡関係に大きな変化が生じ、感染症が優位に立つことができる状況が出現していることを意味している。

その原因の第一は、世界各地の森林開発や都市化の急速な進展により、人間が過去出会ったことがないような病原体と遭遇する機会が増大していることである。

第二は、交通機関の発達等に伴う国際的な交流の増大によって、かつては限定された地域の病気にすぎなかったものが、瞬く間に地球規模で移動するようになったことである。

そして、第三には、薬剤耐性菌に代表されるように、人間による技術革新自体が新たな感染症の出現を促す環境を作り出していることである。こうした意味において、新興・再興感染症は、現代社会の進展がもたらした病であるといえよう」。

地域保健法は、公衆衛生審議会が具申した意見書（1993年7月）にもとづいて、今後の地域保健対策の基本的視点として「生活者主体のサービス」「住民の多様なニーズに対応したきめ細かなサービス」「地域の個性を生かした保健と福祉のまちづくり」をかかげて制定されました。同意見書は、次のように述べています。

「地域保健対策は、具体的には、老人保健対策、母子保健対策、精神保健対策、伝染病対策、環境衛生対策、食品衛生対策、健康づくり、医療監視など、多岐にわたっている。これらの対策は、従来、保健所を中心として、主として社会防衛的な観点から実施されてきたが、最近の急激な人口の高齢化、慢性疾患を中心とした疾病構造への変化、地球環境などの生活環境問題に対する意識の高まりなど、地域保健対策をめぐる状況は大きく変化している。こうした状況を踏まえ、国民のライフサイクルを通じた包括的な健康づくりを推進するため、地域保健対策の総合的な見直しを行うことが課題となっている」。

コロナ・パンデミックが起こって、今振り返ってみると、痛恨の失敗は、こうした新しい時代の要請に対応するための医療法の改変と医療制度の抜本的な再構築が「新自由主義」路線のもとで強行されたということでした。

感染症法や地域保健法の本来の趣旨――その趣旨そのものは、「新しい感染症の時代」、「疾病構造の変化」に対応して医療・公衆衛生の供給体制を再編成する合理的なものだったとしても、現実にそれを実行する過程では、なによりも効率化、無駄の排除、規制緩和、民営化、市場化などを基準とする「新自由主義」路線によって強行されることになりました。たとえば感染症の病床は、単純に「診療実績が特に少ない」などの理由で縮減したり、機能転換、集約化などをしてはならないものなのに、そうした感染症対策の独自の機能は病院経営の「効率化」、地域における保健活動の「統合」の前に軽視されることになりました。

コロナ危機によって、こうした「新自由主義」路線を強行的に推進してきたことの問題点が、きわめて明らかになりました。今回のコロナ禍のもとで、医療機関や保健所の現場の業務負担と疲弊感はすさまじい状況になっているといわれます。今回の危機を契機に、感染症病床の増床と充実、保健所の調査・検査体制の強化、感染症専門家の育成、疾病対策センター（CDC）の創設をはじめ、弱体化した医療・公衆衛生システムの本格的整備が必要です。

2．感染症対策を軽視した公的病院の再編・統合、病床の削減構想
――「新自由主義」路線 ＝ 自公政権の感染症対策の失敗（2）

「新自由主義」路線 ＝ 自公政権の感染症対策の失敗は、1990 年代の第 1 幕に続いて、2010 年代に第 2 幕がありました。それは、安倍内閣が 2014 年に成立させた「医療介護総合確保推進法」による新たな医療供給体制の再編成の推進です。

医療介護総合確保推進法は、都道府県に対し、2025 年時点を目標として病院数や病床数（入院ベッド数）などの医療提供体制を見直す「地域医療構想」の策定を定めています。同法は、2018 年の第 9 次医療法改正で都道府県の策定する「医療計画」のなかに基準病床数を明確にするよう義務付けました。基準病床数とは、それぞれの地域の整備目標としての性格を持つとともに、それ以上の病床は抑制・削減するということです。日本共産党の小池晃書記局長は、参院厚生労働委員会（2017 年 6 月 1 日）の質問で、地域医療構想がそのまま実行されれば、2025 年時点の病床数が本来なら必要な数より 33 万床も少なくなることを明らかにしました。

安倍政権は、2017 年の「骨太の方針」（経済財政運営と改革の基本方針）で、2018 年までの 2 年間を地域医療構想の具体化に向けた集中的な検討期間に指定し、2018 年の「骨太の方針」では、公立・公的病院は、「高度急性期」や「急性期」といった地域の民間病院では担うことのできない機能に重点化するとの方針を決めました。

厚生労働省は、2019年9月に突然、「再編や統合の議論が必要」とする公立・公的病院など424病院（後に約440病院に修正）のリストを公表しました。すぐに、地域医療を担ってきた公立・公的病院の再編・統合を迫る安倍政権の強引な計画に、自治体や医療関係者から猛烈な批判があがっています。批判の強さに慌てた同省は全国7カ所で釈明の意見交換会を開催する事態となりました。札幌市で開かれた厚労省と自治体・病院関係者との意見交換会では、医療関係者から「分析対象に精神科や感染症などの医療行為が入っていないのはなぜか」という鋭い質問が出されたと言います（「しんぶん赤旗」2019年10月3日付による）。

2020年に入り、コロナ問題が起こってから、公的病院の再編・統合と病床削減の計画は、国会でもたびたび取り上げられました。

日本共産党の本村伸子議員は2月28日の衆院総務委員会で、新型コロナウイルス感染症が感染拡大した場合の医療体制が懸念され、南海トラフ巨大地震発生時の医療体制の不足も明らかになっていると指摘し、当初の424病院の再編・統合リストを公表する発端となった経済財政諮問会議では、緊急時の医療体制をまったく議論していないと批判しました。

また同じく日本共産党の倉林明子議員は3月16日の参院予算員会で、感染症対応の病床確保だけでなく、それを機能させるためには人工呼吸器や個室、医師・看護師の体制が必要だと強調し、国がそうした費用を全額負担するよう求めました。さらに、安倍首相が、コロナ感染症対策で「1万2千床の空き病床を確保する」と述べていることをとりあげて、多くの公立・公的病院は「医師や看護師が確保できないからこそ空床になっている」と指摘しました。政府が空床をあてにしながら、一方で公立・公的病院の再編統合を求めていることは矛盾していると批判し、「コロナ感染状況を踏まえて再編統合計画はいったん廃止し、感染症対策を含めた病床計画に見直すべきだ」と主張しました。

こうした厳しい批判に押されて、厚労省は8月31日に、都道府県から国への報告期限を当初予定していた2020年9月を延期し、新たなスケジュールを決めると通知しました。

3. 感染症研究所の予算と研究者の削減
――「新自由主義」路線 ＝ 自公政権の感染症対策の失敗（3）

図3-2　国立感染研の研究費と研究者数の減少

（注）研究費は、競争的研究資金と裁量的経費の合計
（出所）日本共産党田村智子議員の国会質問資料をもとに作成

「新自由主義」路線 ＝ 自公政権の感染症対策の失敗を示す、もう一つの事例は、感染症研究の中心を担う国立感染症研究所（感染研）の研究予算と人員の削減の問題です。

感染研は感染症の基礎・応用研究、ワクチンなどの国家検定、感染症の流行状況の監視など感染症対策の中核を担っています。研究者、職員が感染症の流行などの危機対応を直接担当することから、多くの国立研究機関とは違って独立法人化されずに国の直轄研究所として維持されています。しかし、自公政権のもとで、研究所の予算は年々削減されています。また国家公務員の定数削減が一律に適用され、特定の専門家が定年退職をすると新規採用がされないために、結果的に研究の継続性が失われ、研究体制の弱体化が進んでいます。

日本共産党の田村智子議員は、コロナ問題がはじまった直後の 2020 年２月９日の参院内閣委員会で、安倍内閣が感染研の機能を「弱体化」させている問題について厳しく追及しました。研究などで自由に使える感染研の「裁量的経費」は、国の財政健全化目標によって毎年削減され、研究者個人が応募して獲得する「競争的研究資金」と合わせた研究費の総額は低迷し続けています。

田村議員は、感染研の外部評価委員会（研究所以外の有識者・専門家からなる委員会）が繰り返し感染研の研究基盤の確立・維持向上の必要性を指摘し、希少感染症の専門家が定員削減によって維持されなくなれば、日本からその分野の専門家が消滅する事態を招きかねないと警鐘してきたことを紹介しました。

田村議員は、すでに1年前の2019年4月9日にも、感染研の定員の削減の問題をとりあげて、今日のコロナ・パンデミックを予測したかのように、次のような鋭い質問をしていました。

「国立感染症研究所は、感染症や病原体に対する国の対策、対応の中核を担う機関です。感染症の基礎研究及び応用研究、ワクチンの開発から検査、国家検定、国内外における感染症流行状況の調査、監視など、我が国の感染症研究や危機管理を行っています。実際に感染症が発生すれば、地方衛生研究所と一緒に実動部隊としても行動いたします。致死性の感染症のパンデミックが起きた場合は、職員や研究者は国家公務員として危機対応に当たるわけです。これはアメリカでいいますと、ＣＤＣ（疾病予防管理センター）、ＮＩＨ（国立衛生研究所）、ＦＤＡ（食品医薬品局）の三つの機関の役割を我が国では国立感染研が一手に担っているということになります」。

「私、実は2013年、厚生労働委員会で感染研の体制について質問いたしました。強毒性鳥インフルエンザなど新しい感染症やウイルスへの対策、はしかや風疹の新たな流行などが問題となっていたときで、当時の渡嘉敷厚労副大臣は、仕事の範囲が広がっているのに人数が減ってくるという厳しい環境にあるということを認め、必要な定員の確保には十分に努めていきたいと答弁をされました。当時の研究者は312人です。ところが今年度の定員は306人です。これはどういうことなのでしょうか。必要な業務が減ったとでもいうのかどうか、お答えください」。

図3-2の「国立感染研の研究費と研究者数の減少」をみると、「新自

由主義」路線 ＝ 自公政権の感染症対策の失敗は、弁解の余地のないほど明らかです。

4．厚労省のワーキンググループでも、医療現場から懸念の声
――「新自由主義」路線 ＝ 自公政権の感染症対策の失敗（4）

「新自由主義」路線 ＝ 自公政権の感染症対策の検証の最後に、国会審議での野党からの批判だけではなく、厚労省の「地域医療構想に関するワーキンググループ」のなかからも、厚労省の感染症対策への懸念の声が上がっていたことを見ておきましょう。

厚労省の同ワーキンググループでは、コロナ禍の発生後に開かれた2020年3月19日の第25回会議で、予定された議題終了後に、中川俊男日本医師会副会長（当時、現在は会長）が発言を求めて、次のように述べました。医療現場からの率直な意見なので、公表されている議事録によって、少し長くなりますが、ほぼ発言の全文を引用します。

「地域医療構想においては、このワーキンググループを初め、厚生労働省の審議会・検討会で、………医療需要や医療資源の減少に備えて、病床の機能分化・連携を進めてきました。一方で現在、御存じのように世界中で新型コロナウイルス感染症がパンデミックを起こしています。現在、感染者数が世界で約20万人、死亡者数も8,000人を超えています。この中で、我々は特にイタリアから教訓を得なければならないと思っています。現在、感染者数が3万人を超え、死亡者数も3,000人近くなっています。新型コロナウイルス感染による人口10万対死亡率、それから、感染者における致死率も突出して高くなっています。その背景の一つに、イタリアはEUが求めた財政緊縮策として医療費削減を進めました。2012年から2017年にかけて、イタリア全土で大変多くの医療機関の閉鎖や医療従事者の不足を招いたとされています。そのような背景の中で感染が拡大し、多くの医師や看護師も感染し、医療現場は大混乱に陥っ

たと連日報道されています。

早稲田大学の野口晴子教授の研究では、平常時の政府医療支出の増減と、例えば季節性インフルエンザによる死亡率との間には、統計学的に強い負の相関があり、支出が多ければ死亡率が下がるとしています。このような事実から、私は地域医療構想として改めて考えなければならないという点を２点指摘させていただきたいと思います。

まず、１点目は、医療提供体制は、平常時にも有事の際にも対応できるハード・ソフト両面の余力が求められると思います。そのためには、平常時に余裕のある地域の医療提供体制を構築しておく必要があります。例えば病床数の一定の余裕、緊急時に対応できる医療機器等の備え等ですが、国はそのための必要な財源を確保する必要があるのではないかと思っています。

２点目は、具体的に今回の新型コロナウイルス感染症のような有事の際に対応する公立・公的医療機関と民間医療機関の事前の役割分担の明確化です。これから、新型コロナウイルス感染症のような未知の感染症が次から次に起こってくる可能性が十分にありますので、これを地域医療構想調整会議の議論の活性化の一つとして、このような体制のときにどうするのか、構想区域ごとに議論を詰めていくといいますか、活性化させていただきたいなというのが私の提案です」。

「私の申し上げたいのは、医療提供体制に余力があるべきだということを申し上げているので、決して病床稼働率がもう50％を切った病棟はそのままでいいのだということを申し上げているのではないのです。医療提供体制、地域医療構想の議論を進めていく際に、提供体制のボリュームといいますか、いわゆる効率化の名の下にジャストフィット、過剰はないけれども、不足もないという、そういうことではなくて、やはり少し多めの提供量といいますか、いざというときにはすぐ対応できるような余力をそれぞれ備えておくべきだということを申し上げているのです」（厚労省のホームページ、同ワーキンググループの会議議事録より。2020年9月20日閲覧）

5．「新自由主義」路線に終止符を打つために

自公政権は、今年に入って、コロナ･パンデミックが始まってからも、感染拡大を食い止め、国民の暮らしを守るための対策でも混乱した取り組みを繰り返してきました。たとえば、ＰＣＲ検査を徹底してこなかったこと、「アベノマスク」のような場当たり的な対策ばかりで、医療機関への手厚い助成などの措置を怠ってきたこと、営業の自粛要請に補償が伴わない不十分な対応、ＧｏＴｏキャンペーンにみられるようなブレーキをふみつつアクセルを踏むという混乱した対応、などなど。

自公政権は、過去、現在、将来にわたって、コロナ・パンデミック対策に失敗してきました。その責任は重大です。

数十年にわたる「新自由主義」路線の強行によって、とりわけ医療・介護などの社会保障制度の改悪、雇用制度の改悪、教育制度の改悪などの爪痕が残されています。こうした「悪しき遺産」としての制度改悪の実態を総点検する闘いが必要です。たとえば、「悪しき遺産」という点では､コロナ対策の正面に立って頑張っている医療機関が､｢新自由主義」路線によってどんなひどい状態になっているか、すでに、述べてきたとおりです。今回のコロナ･パンデミックを契機に、感染症専門家の育成、感染症病床の増床と充実、保健所の体制の強化、疾病対策センター（ＣＤＣ）の創設、なによりも医療スタッフ、保健所のスタッフの増強のための手厚い財政支援が必要です。弱体化した医療・公衆衛生システムの本格的整備をおこなわねばなりません。

今回のコロナ・パンデミックによって、「新自由主義」イデオロギーそれ自体、たとえば、「市場万能論」、「小さな政府論」、「自己責任論」などが破綻しました。パンデミックは、「新自由主義」の市場万能とは真逆に、国家（および自治体）の役割を大きくクローズアップさせることになりました。各国の政治体制､国民性や文化･歴史の違いなどによって国家の対応はいろいろです。しかし、コロナ危機のもとで、この数十年間、世界中を席巻してきた「新自由主義」にかわって、国民の生命と

暮らしを守るために国家は何をなすべきかが問われることになりました。

とはいえ、金融資本と金融市場は、依然として「新自由主義」が支配しています。コロナ・パンデミックが始まった最初のころ、1月後半から2月にかけて、一時は株価が暴落したことがありました。たとえば、ニューヨーク株式市場のダウ平均は、直近のピーク2万9,551ドル（2月12日）から一時は1万9,173ドル（3月20日時点）へと1万ドル以上も急落しました。しかし、すぐに、再び株価は上昇しました。金融資本が金融市場を牛耳っているからです。また、世界の金融当局、財政当局が、資金を湯水のように放出して、バブル的な株高を支えているからです。「新自由主義」路線が再び復活する可能性を完全に封じるためには、引き続き「新自由主義型資本主義」の支配体制に終止符を打つために、徹底的な闘いを続ける必要があります。

「新自由主義」路線の破綻は、ただコロナ・ショックによって突然始まったのではありません。すでに、これまで数十年にわたる労働者・国民の「新自由主義」路線との粘り強い闘いがありました。われわれの闘いが「新自由主義」路線を破綻に追い込んだという確信と、むしろこれからが「新自由主義」路線に終止符を打つ闘いの正念場なのだという心構えが必要になっています。

【コラム❸】

ＥＣMOnet（エクモネット）と医療従事者の献身的な活動

コロナ・パンデミックの問題が起こってから、重症患者の治療の現場でＥＣＭＯ（エクモ）という医療機器が使われている様子をテレビの番組で見ることがあります。

ＥＣＭＯとは、Extracorporeal membrane oxygenationの略称で、体外式（たいがいしき）膜型（まくがた）人工（じんこう）肺（はい）のことです。人工呼吸器だけでは回復の見込みがない場合に、「最後の手段」として心臓と呼吸の補助をする治療法です。ECMOは、付属の機器を含めて一式で6000万円程度、日本では約1400台が保有されていると言われます。

ＥＣＭＯは、備えている病院が限られているうえ、患者一人に対して24時間複数の医療従事者が対応をしなければならず、ＥＣＭＯの操作できる人材の不足が問題となっています。

政府が8月28日に決定した「新型コロナウイルス感染症に関する今後の取組」のなかでは、医療供給体制の項で、「ＥＣＭＯが必要な重症患者に対して、全国の医療関係者のネットワーク（ＥＣＭＯ net）の協力を得て、診療支援を行う」と述べています。

ここでとりあげられているＥＣＭＯ netとは、厚労省のG-MIS（新型コロナウイルス感染症医療機関等情報支援システム）が十分には機能していないために、民間の医療関係者が自発的に運営しているECMO使用に関する情報ネットワークです。ＥＣＭＯ netのホームページでは、次のように紹介されています。

「この組織はＣＯＶＩＤ-19に対するＥＣＭＯ治療を提供する有志の集まりです。ＥＣＭＯ治療に携わる者たちが何の見返りも期待することなく、無償での活動に参加をしてくれ、現在の活動が行われるようになりました。……重症患者への24時間対応の電話相談、ＥＣＭＯ患者の搬送、相談を受けた現地での治療参加、重症症例の経過追跡など様々な対応が行われています」。

ＥＣＭＯ net では、紹介文の最後に次のように指摘しています。

「このような活動を行い、結果を出すには All Japan での対応が絶対に必要です。日本集中治療医学会・日本救急医学会・日本呼吸療法医学会・日本感染症学会・日本呼吸器学会・日本麻酔科学会・日本小児科学会・PCPS/ECMO 研究会などの関係学会から、この ECMOnet の活動を行う事への賛同と協力を賜ることができました。まさに All Japan での対応とＥＣＭＯ net へ参加してくれている医療従事者の献身的な活動が今回の治療成績を生み、このＥＣＭＯ net の活動を支えているのです」。

これまでのところ、欧米諸国と比べると、日本では爆発的な感染拡大、医療崩壊にはなっていません。その確実な最大の要因は、日本の医療従事者のみなさんの高い技術と献身的な活動があったことです。ここでとりあげたＥＣＭＯ net の活動は、その象徴的な事例の一つと言えるでしょう。

自公政権の感染症対策の失敗を、現場で働く人たちの昼夜を分かたぬ頑張りでおぎない、パンデミックの爆発と医療崩壊を瀬戸際で食いとめているのです。

第4章

コロナ・ショックによる経済危機と回復過程
―― 従来の経済恐慌とは異なる特徴

本書を校正している今（2020年10月20日）の瞬間も、新型コロナウイルス：パンデミックによる世界的な経済危機が続いています。2008／9年のリーマン危機をも超えそうな、今回の「2020年パンデミック」の世界経済への影響が今後どのように発展するか、その全体像は、今はまだ定かではありません。

第4章では、コロナ・パンデミックのもたらす経済的危機の性格と回復過程の特徴について考えてみたいと思います。

1. コロナ・ショックの経済危機の性格

今年（2020年）4月に執筆した論文のなかで、筆者は、コロナ・パンデミックによる「再生産の突然の攪乱」は、「再生産過程内部の矛盾の爆発としておこる全般的過剰生産恐慌」とも、「自然災害などがもたらす急激な再生産の攪乱（特殊な恐慌）」とも異なると指摘しました。しかし、「それを『世界恐慌』というカテゴリーでとらえるかどうかについては、いろいろな議論がありうるだろう」と述べるにとどめておきました（拙稿「コロナ・パンデミックと再生産の攪乱・世界恐慌」『経済』2020年6月号）。

（1）戦後世界で最大のマイナス成長

世界経済の先行きは、決して楽観できません。コロナ・パンデミックの進行とともに、次々と、生産の落ち込み、消費の落ち込み、企業の利益の落ち込み、賃金や雇用の動向、などの統計が発表されていますが、いずれも大幅な減少を示しています。

ＩＭＦ（国際通貨基金）、世界銀行、ＯＥＣＤ（経済協力開発機構）などの国際機関は、今後の経済成長率の見通しを発表していますが、**表4-1**「国際機関の世界経済の見通し」で分かるように、いずれも2020年には大幅なマイナス成長になると予測しています。とりわけＯＥＣＤの場合は、2020年の後半に第2波の感染流行が来襲することを前提にして、マイナス7.6%にまで落ち込むと予測しています。

表4-1　国際機関の世界経済の見通し

	ＩＭＦ（6月24日）			世界銀行（6月11日）			ＯＥＣＤ（6月10日）			国連（5月13日）		
	2019	2020	2021	2019	2020	2021	2019	2020	2021	2019	2020	2021
世界	2.9	▲4.9	5.4	2.4	▲5.2	4.2	2.7	▲7.6	2.8	2.6	▲3.2	4.2
先進国	1.7	▲8.0	4.8	1.6	▲7.0	3.9	2.9	▲7.3	3.1	1.9	▲5.0	3.4
米国	2.3	▲8.0	4.5	2.3	▲6.1	4.0	2.3	▲8.5	1.9	2.3	▲4.8	3.9
ユーロ圏	1.3	▲10.2	6.0	1.2	▲9.1	4.5	1.3	▲11.5	3.5	1.5	▲5.8	2.9
日本	0.7	▲5.8	2.4	0.7	▲6.1	2.5	0.7	▲7.3	▲0.5	0.7	▲4.2	3.2
新興・発展途上国	3.7	▲3.0	5.9	3.5	▲2.5	4.6						
中国	6.1	1.0	8.2	6.1	1.0	6.9	6.1	▲3.7	4.5	6.1	1.7	7.6

（注1）ＯＥＣＤの見通しは、2020年度末までにコロナウイルス感染症流行の第2波が襲来するシナリオ（「双発シナリオ」）。（注2）ＯＥＣＤの「先進国」は、Ｇ20の20か国。

（2）「急激に落ち込むが、急速に回復する」という“予測“の不確かさ

ところが各国際機関の見通しで共通しているのは、1年後の2021年には、すぐにかなり急速なプラス成長に戻ると見ていることです。たとえばＩＭＦの場合、2020年にはマイナス4.9%に落ち込むが、翌年に

はすぐにプラス5.4%に回復するとしています。もちろん急速なマイナス成長からの回復ですから、まだ水準自体は水面下なのですが、縮小再生産のスパイラルからはすぐに脱却すると予測しているようです。

国際機関の「2021年には回復する」というやや楽観的過ぎる経済見通しにたいしては、経済の縮小再生産過程が、かなり長期に続いて、回復には数年かかるという悲観的な予測もあります。「日経」紙のおこなった「社長100人アンケート」によると、ビジネスがコロナ禍前の水準に回復するには2年以上かかるとの回答が55.8%、そのうち3年以上が18.3%にも上っています（同紙、7月21日付）。国際機関などのエコノミストの予測に比べて、産業界の現場の経営者たちの見方は、経済危機の先行きを、より厳しくとらえているようです。

しかし、こうした経済予測は、楽観的なものであれ、悲観的なものであれ、いずれもあまり科学的な根拠はありません。コロナ・パンデミックがいつ終息するのかさえ、まだ定かでないからです。

2．コロナ・ショックによる「再生産の攪乱」の特徴
――「全く新しいタイプの経済危機」

コロナ後の経済情勢をどう見るか。理論的な視点から、差し迫る経済危機の性格を分析するための視点、考え方を検討しておく必要があります。

7月に発表された『通商白書』（2020年版）では、コロナ・ショックの経済危機の性格について、次のように分析しています。

「コロナ・ショックは需給の両面のショックが相互作用して経済悪化が深刻化するものであり、主に供給面に影響した東日本大震災や主に需要面に影響した世界金融危機のような過去の経済危機とは異なる、全く新しい種類の経済ショックである」（『通商白書』、概要版、1頁）。

同白書が指摘しているように、今回の経済危機は、たしかに過去の場合とは異なる「全く新しい種類の経済ショック」であると言ってもよいでしょう。しかし、白書は、「全く新しい種類の経済ショック」の意味、

その原因、その内容については、それ以上の突っ込んだ分析はしていません。

（1）経済恐慌と「再生産の攪乱」

マルクス経済学においては、世界市場で起こる全般的過剰生産恐慌は、資本の循環過程でW’－G’（商品資本の貨幣資本への転化）過程での矛盾の爆発によるものです。また、自然災害による「特殊な恐慌」は、G－W（貨幣の生産資本への転化）が攪乱されて起こります。今回のようなコロナ・パンデミックによる「再生産の急激な収縮」は、これらの2つの恐慌とは、基本的に異なる矛盾によって起こっています。

今回のコロナ・ショックによる「再生産の攪乱」の性格は、従来の世界市場恐慌とは全く異なったタイプの「再生産の急激な収縮」です。資本の循環過程の内部で起こる過剰生産の矛盾の爆発によるものではありません。また自然災害などの外的要因が契機になって起こる突然の「再生産の攪乱」による「特殊な恐慌」とも異なっています。（「自然災害による『特殊な恐慌』」については、コラム❹を参照してください）。

こうした経済危機の性格を検討するのは、ただ理論的な興味からだけではなく、経済危機の性格によって、危機からの回復過程の特徴が大きく影響されるからです。

（2）コロナ禍による「再生産の攪乱」からの回復過程

コロナ後の回復過程は、従来のような過剰生産恐慌からの回復過程――自律的な産業循環的な景気回復とはかなり異なってくることが考えられます。

従来の恐慌からの回復ならば、過剰生産の矛盾の爆発としての恐慌によって需給不均衡が回復されたあと、《恐慌→不況→回復→好況（繁栄）→恐慌》という産業循環の局面の展開によって、恐慌直後の「不況→回復期」に、集中的に生産合理化・技術革新投資・新規雇用拡大がおこなわれます。そして、その後ふたたび繁栄局面がやってきます。しかし、今回は、従来の恐慌からの回復過程とは異なってくることが考えられます。そのために、コロナ禍による急激な縮小再生産からどのように回復するか、過去のデータをもとにした計量モデルでは予測が難しいのです。

重要なことは、「全く新しい種類の経済ショック」は、たんにコロナ禍だけによるものではないことです。コロナ禍を契機に、過剰生産恐慌のような産業循環的な矛盾による不況とともに、資本蓄積過程で長年にわたって累積してきた再生産構造のゆがみによる矛盾が噴き出してくる可能性があります。そうした構造的矛盾と結びつくことによって、コロナ後の不況がいっそう長期に続く可能性もあります。

パンデミックの特徴は、第1章で見たように、人間と人間の結びつき、人間の社会的諸関係の一時中断をともなうことです。経済過程で言えば、生産、流通、分配の全体が一時的に中断を余儀なくされ、急激な縮小再生産に陥ります。もちろん、こうした「再生産過程の攪乱」は一時的なものであり、パンデミックが終息すれば、ただちに拡大再生産の軌道への復帰（回復）がはじまることになります。

しかし、パンデミックに特徴的なことは、生産、流通、分配の全体が同時的に中断（縮小）するために、社会的再生産の全体的なあり方が問われる時期、社会的再生産の総点検の時期にもなりうるということです。これを、比喩的に言えば、工場を全面的にストップして機械のオーバーホール（機械設備の部品をすべて分解し、精密に点検・修理して、摩耗・損傷個所などを修理・交換すること）をおこなうような再生産過程全体の点検・分析・再建の機会にもなるということです。

パンデミックの終息後の回復過程では、狭い意味での生産過程の技術革新としてのデジタル化だけでなく、社会全体でデジタル化が課題となっているのも、こうしたパンデミックによる社会的危機の全般的性格が背景にあるからだといえるでしょう。

日本の場合は、歴史的に資本主義発展過程の各段階の矛盾が解決されないまま幾層にも重なっているので、今回のコロナ・パンデミックの影響は､長期化する可能性があります。再生産構造のゆがみ(構造的な矛盾)によって、コロナ後の経済社会の回復がすすまない懸念です。この点については、第6章でとりあげることにして、ここでは、コロナ後の回復過程の経済的課題として論じられている、いくつかの問題を検討しておきましょう。

3．コロナ後の経済回復をめぐって（1）
――「グローバリゼーションのアップグレード」で回復できるか

先にとりあげた今年の『通商白書』は、コロナ後の課題としては、これまでの「グローバリゼーション」のやり方を再検討して、〈グローバリゼーションのアップグレード〉が必要だと主張しています。

ではどういう風にアップグレードするのか。『白書』によると、〈レジリエントなサプライチェーンの構築〉だと言います。「レジリエント」(resilient) とは「弾力性ある、復元力ある、回復力ある」などという意味ですが、要するに、物資の類型に応じた対応、調達の多様化や在庫の適正化も含め､「効率最優先」型から「臨機応変」型への〈グローバリゼーションのアップグレード〉が必要だと言うわけです。

「効率最優先」型から「臨機応変」型への転換と言うと、なんとなく格好がよいのですが、「臨機応変」とは、いわば「出たとこ勝負」、何も明確な基準はないということです。再生産のあり方を根本的に再検討して、食料やエネルギーなどの国内供給を増やすために産業政策の基本的あり方を転換することではありません。コロナ後も、これまで通り､「新自由主義」路線によるグローバリゼーション政策を〈アップグレード〉して推進するということです。コロナ後の世界経済のもとで、はたしてこうした産業政策が通用するのか、大いに危惧されます。

世界経済のグローバリゼーションを主導している多国籍企業は、もっぱら財・サービスの国際商品を世界各地で生産し、世界市場で販売しています。「国民経済計算」の統計上は、それぞれの国（母国と進出国）に算入されていますが、グローバル企業の現実の再生産活動は国民経済の枠を超えた独自の軌道を描いています。

多国籍企業は、世界最適地生産・最適地調達・最適地販売の体制を築いて、最大限の利潤を獲得することによって、それをもっとも効果的に運用する経営戦略を推進しています。その資本蓄積様式は、その母国と進出先の両国の再生産活動に複雑な影響を与えています。「国際競争力」の強化を振りかざした活動は、経営戦略上は合理的な方針であっても、各国の国民経済の再生産には意図せざる撹乱をもたらすことがあります。またその無秩序で横暴な経営活動は、地球規模での環境破壊などの深刻な被害をもたらしています。

本書の第１章と第２章でみたように、今回の急速なコロナ・パンデミックが起こった背景としては、20 世紀に入り、とくにその後半以降に、経済のグローバリゼーションがすすんだことによって、新興感染症や再興感染症の脅威が広がったことがあります。グローバリゼーションとパンデミックの関連については、感染症疫学の研究者がつとに指摘してきたことです。

コロナ後の世界経済では、グローバリゼーションの〈アップグレード〉ではなく、無秩序な利潤追求のグローバリゼーションのあり方そのものが問われなければならないでしょう。

４．コロナ後の経済回復をめぐって（２）
―― ＥＳＧで「グリーンリカバリー」が可能なのか

コロナ後の経済回復について、資本主義体制の内部から資本の投資市場で起こっているＥＳＧ（イー・エス・ジー）の動きと環境保護団体の「グリーンリカバリー」の運動について簡単に触れておきましょう。

ＥＳＧとは、投資家が投資市場で投資をするさいに、環境（Environment）、社会（Social）、統治（Governance）に対する企業の対応を考慮して行動することです。国際連合が 2006 年に投資家がとるべき行動として責任投資原則（ＰＲＩ）を提起し、ＥＳＧの観点から投資するように提唱したことに発しています。この国連の提起した「原則」に同意・署名し

図4－2　ＥＳＧの対象分野

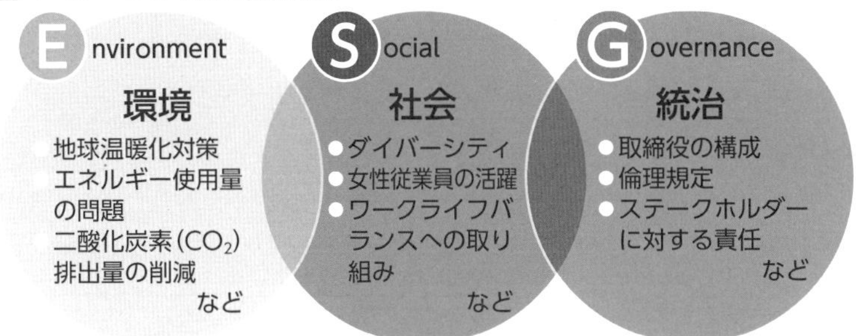

た資産運用機関は1,100を超えていると言われます(2012年12月時点)。

「投資の判断にESG（環境・社会・統治）を重視する資金の規模は、18年に世界で3400兆円となり、2年前から3割増えた。環境や社会への配慮が、企業の評価を左右する流れが強まっている」(「日経」紙、2020年1月28日)。

21世紀に入り、地球温暖化、気候変動への対応が問われるようになり、ヨーロッパを中心に急速にＥＳＧの動きが活性化してきました。多発する自然災害によって生産が中断し、巨額な損失が発生したり、逆に気候変動への対策が新たな収益機会を生んだりもしています。欧州連合（ＥＵ）は、2019年12月に、域内で排出される温暖化ガスを2050年までに実質ゼロにする「欧州グリーンディール」を発表しました。こうした環境保護計画を実現するために、ＥＳＧによる資金の誘導をつくりだそうというわけです。

2020年に入り、コロナ・パンデミックの進行とともに、世界の環境保護団体は、コロナ後の経済復興にあたっては、単に昔の状態に戻すのではなく、地域環境や気候変動に配慮して経済を立て直そうという「グリーンリカバリー」の考え方を提唱しています。

「コロナ・ショックをきっかけにESGのS、社会問題にも多くの注目が集まるようになるだろう。全世界の資産運用会社やNPO投資家、年金基金が集まる総勢275社、総運用資産7.7兆ドルの投資家連合が、コロナ問題に関する企業への注文を発表している。『労働者の健康が最優先』『一時帰休の際は十分な金銭補償を』『自社株買いは停止し、役員報酬も制限せよ』――。コロナ前の資本市場の常識に照らせば、内容は驚くほど社会主義的だ」（小平龍四郎「ESGマネーがひらく『コロナ後』資本主義」日経紙、2020年4月13日付）。

こうしたＥＳＧなどの動きにたいして、ハーバード大学のジョセフ・カルト教授らは、気候変動などの問題を解決する必要性は認めつつも、「それらは公的な政策手段によって対応が図られるべきである」として、公的役割を過度に私企業に負わせることを批判しています（※）。

※ "Political, Social, and Environmental Shareholder Resolutions：Do They Create or Destroy Shareholder Value ？ ".（2018年5月）

しかし、もちろんＥＳＧの投資家たちが投資の運用成績に無関心というわけではありません。これは、米国の大手金融企業、モルガン・スタンレー社の幹部がインタビューでＥＳＧの目的を問われて、「（ＥＳＧ投資で）われわれが目指すものは慈善やマーケティングではない。れっきとしたビジネスとして環境や社会の問題を解決していこうということだ」（「日経」紙、2020年9月9日、電子版）と述べていることにも示されています。

コロナ後に「グリーンリカバリー」を実現するためには、なによりもまず各国の国家的取り組みが求められ、公的資金の配分の抜本的改革が必要です。ＥＳＧによる資金の誘導に過度に期待することはできないでしょう。

5．コロナ後の経済回復をめぐって（3）
――「デジタル化社会」で回復できるのか

日本経団連は、2020年7月におこなった「経団連夏季フォーラム2020」の成果として、「マニフェスト－デジタル革新（ＤＸ）で日本経済社会の再生を加速する－」（7月16日）を発表しました。そのなかで、次のように述べています。

「新型コロナウイルス感染症の拡大により、国内外の様々な活動が制限を余儀なくされ、人々の生活や経済社会に甚大な影響が及ぶとともに、日本をはじめ世界の社会が抱える脆弱性が浮き彫りとなった。こうした中、我々が、今、行わなければならないことは、個々の脆弱性への対応にとどまらず、デジタル革新（DX）を核とした社会全体の大変革を断行し、ポストコロナ時代における新たな成長の鍵となる、レジリエントかつ持続可能で、人間中心の社会『Society 5.0』を実現することである。多様なステークホルダーを重視する日本企業の経営理念、スーパーコンピューターなど世界有数のデジタル基盤、優れた省エネ・環境技術など、今こそ日本の力を結集すれば、日本は世界に先駆けて未来社会の実現を成し遂げられる」（日本経団連のホームページより）。

図4-3　政府の『情報通信白書』が描くコロナ後の社会

Before Corona

デジタル基盤整備及びデジタル技術活用により
デジタル・トランスフォーメーションを推し進め
産業の効率化や高付加価値化を目指してきた

With Corona

人の生命保護を前提にサイバー空間とリアル空間が
完全に同期する社会へと向かう不可逆的な進化が
新たな価値を創出

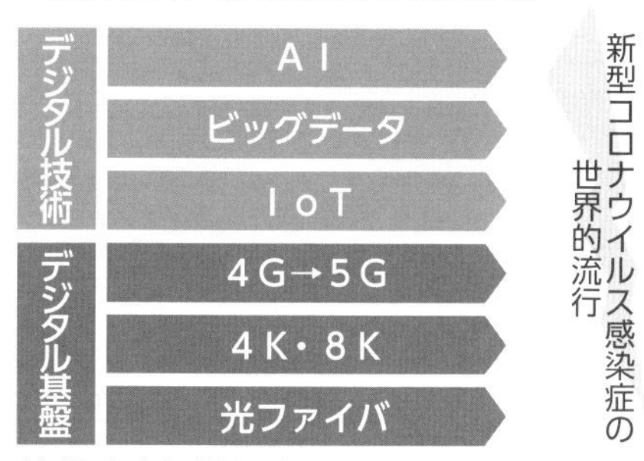

新型コロナウイルス感染症の世界的流行

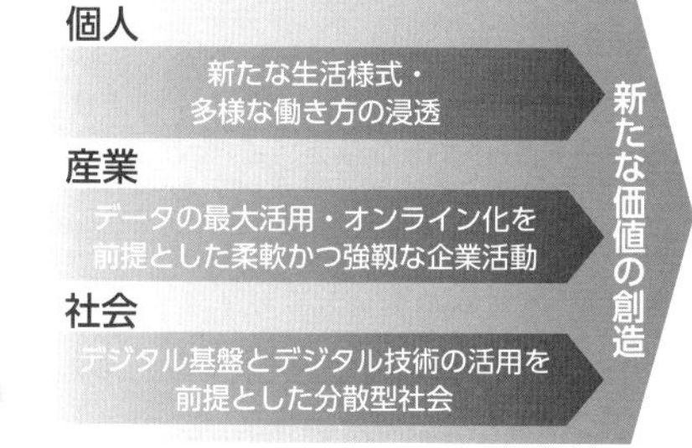

（出所）総務省『情報通信白書』（2020年）、2頁。

財界の動きに呼応するかのように、コロナ・パンデミックのさなかに発表された今年の『情報通信白書』（総務省、8月4日）は、「5Gが促すデジタル変革と新たな日常の構築」をタイトルにかかげた特集をおこなっています。このなかで、『白書』は、次のように述べています。

「新型コロナウイルス感染症　（COVID-19）の世界的流行により、新たな生活様式への移行が求められている」。「企業におけるテレワークの導入の他、行政とシビックテック、民間企業との連携による人との接触リスクの可視化、学校での遠隔授業、遠隔医療の要件緩和などＩＣＴによる対面によらない生活様式への取組が一気に拡大している」。「（コロナ）収束後の我が国の社会・経済は、ウイルスの蔓延前とはフェーズを異にする新たな社会・経済へと不可逆的な進化を遂げるであろう。長年にわたる慣行が崩され、デジタル化・リモート化を前提とした活動が定着することで、個人、産業、社会といったあらゆるレベルにおいて変革が生まれ、新たな価値の創造へとつながっていくであろう」（同白書、2頁）。

しかし、はたして、『白書』が述べるように、デジタル化によって、コロナ後の日本社会が「不可逆的な進化を遂げるであろう」と言えるものなのか。この問題は、コロナ後の社会のあり方にもかかわる重要なことなので、次に章をあらためて詳しく検討することにしましょう。

【コラム❹】

パンデミックと「特殊な恐慌」の理論

自然災害などによる経済活動の突然の中断、「再生産の攪乱」の意味を、マルクスはどのようにとらえていたのか。これは、2011年3月11日の東日本大地震・大津波・原発事故の直後に、筆者の念頭を占めていた理論的な問題でした。大震災直後の3月から4月にかけて、マルクスの時事評論のなかの実証的分析、『資本論』や「資本論草稿」を読み直し、そのなかの理論的命題を整理・検討して研究ノートをまとめ、『経済』誌に発表しました（同誌、2011年11月号）。

マルクスとエンゲルスは、理論活動を本格的に開始した1840年代から、自然災害（凶作など）による食糧飢饉や原料飢饉が資本の活動に大きな影響を与え、社会的再生産にも予期せざる攪乱をもたらすことを重視して、さまざまな時事的評論のなかで、それを論じています。マルクスの経済学批判の理論体系が形成・発展していくにつれて、食糧飢饉や綿花飢饉などの同じ対象を扱っていても、それをとりあげる視点が時期によって発展しています。

マルクスは、「貨幣の生産資本への転化」のさいの生産資本の諸要素の価値変動によって恐慌がおこりうるとみていますが、そうした《特殊な恐慌》は、矛盾の散発的、孤立的、一面的な爆発であり、それとブルジョア的生産のすべての矛盾の集合的な爆発である《一般的世界市場恐慌》とは明確に区別してとらえなければならないと強調しています。

「ブルジョア的生産のすべての矛盾は、一般的世界市場恐慌において集合的に爆発し、特殊な恐慌（内容と範囲から見て特殊な）においてはただ散発的、孤立的、一面的に爆発するにすぎない」(マルクス『資本論草稿集』大月書店、第6巻、748頁)。

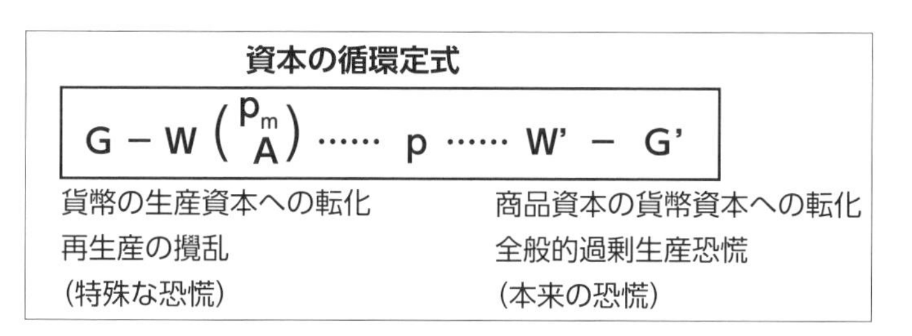

感染症のパンデミックによる「再生産の攪乱」は、自然災害による「特殊な恐慌」とも異なっています。パンデミックの場合は、G－Wの中断だけでなく、あらゆる経済活動が同時的に中断し、再生産活動全体が急速に縮小するからです。

パンデミックが終息すると拡大再生産はふたたび回復しますが、以前とまったく同じ再生産の軌道に復帰するのかどうか。中断が長引く場合は、経済活動全体に大きな変化が生まれる可能性もあります。

第5章

デジタル化社会の可能性と限界

第４章の最後に、「コロナ後の経済回復の課題」の１つとして、デジタル化（デジタリゼーション）の問題があると指摘しました。パンデミックによる社会的危機は、狭い意味の経済過程だけでなく、人間の社会的諸関係の全体にかかわるものなので、そこからの回復過程でも、経済過程でのデジタル化だけでなく、社会のさまざまな分野でデジタル技術が利用されていく可能性があります。

そこで、第５章では、「デジタル化社会」について、資本主義のもとでのその可能性と限界について考えておきましょう。

1．デジタル化とは何か —— 技術的特徴と可能性

そもそも「デジタル化とは何か」について、あらためて簡潔に説明することからはじめましょう。

図5-1　デジタル化の原理

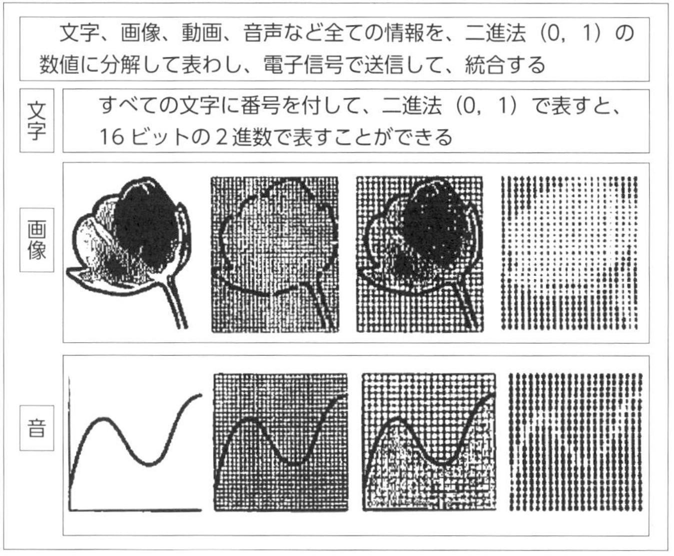

（出所）拙著『ＡＩと資本主義』（本の泉社、2019 年）、43 頁。

（1）情報処理のデジタル化の原理

あらゆる情報をアナログ情報からデジタル情報に変換して処理することは、物質的生産において機械制大工業を生みだした産業革命にも匹敵する情報通信技術の革命（ＩＣＴ革命）の技術的核心をなしています。

デジタル化の技術的な原理は、文字、画像、音声、動画などすべての情報を「0 と 1」の要素（bit ＝ビット、情報量の基本単位）に徹底的に分割して、超高速で処理・電送することです。

たとえば文字情報で言えば、すべての文字に番号をつけて、二進法（0，1）で表わすと、16 ビットの２進数で表記することができます。画像や音声の場合は、縦横の微細なマス目に区切って、それぞれのマス目の情報を二進法の数字にあらわすと、「0 と 1」の要素（bit ＝ビット）に変換することができます **（図5-1）**。この場合、マス目のことを画素（ピクセル）と言い、画素が多いほど精密な画像、正確な音声に変換できることになります。ちなみに、最新のテレビ受像機の４Ｋテレビ、８ＫテレビのKはキロ(1,000)という単位を表わし、それぞれ４Ｋ＝(横)3,840×(縦) 2,160＝約 830 万画素、８Ｋ＝7,680×4,320＝約 3,300 万画素のテレビのことです（3,840 を切り上げると４Ｋ、7,680 を切り上げると８Ｋになります)。

（２）デジタル化の２つの技術的な特徴

デジタル化の原理には、２つの重要な技術的な特徴があります。

１つは、あらゆる情報を「０と１」の要素に分解してとらえることは、さまざまな情報を数字に置き換えて、数学的な計算式で表現できるということです。これは、情報処理のメカニズムを数学的論理で解明する技術的な可能性を意味します。実際に、現在では情報処理の機械として、さまざまな分野で使われているコンピュータも、もともとの意味は「電子計算機」でした。デジタル化の原理は、あらゆる情報を数学的な計算式で処理する道を切り開くとともに、最初は「計算機」という便利な事務機械にすぎなかったコンピュータが、人間社会のあらゆる情報 ――文字、音声、動画などを自由自在に扱う「情報処理機械」に発展してきたのです。さらにデジタル化の原理は、コンピュータを使って、人間の論理的な思考（推論・認識・判断）を処理する技術の道を開きました。

もう１つは、あらゆる情報を「0 と 1」の要素（bit ＝ビット、情報量の基本単位）に変換できることは、電気の基本的な性質である電荷（＋：正電荷、－：負電荷）に対応しているため、あらゆる情報を電子回路の運動に変換できることです。数字、文字、画像、音声、動画など、それらが二進法の数字として符号化（デジタル化）される限り、すべての情報を電子回路によって処理することができることになります。さらに、情報を電子回路の運動に変換できることは、あらゆる情報を電気通信（テレコミュニケーション）に載せることによって、さまざまな情報（画像や音声）を瞬時に電波として世界中に電送する可能性を生みだしました。

デジタル化の２つの技術的特徴を土台として、コンピュータという新しい情報処理の機械が発明され、人間社会のあらゆる分野で利用されるようになっています。インターネットやスマートホンも、こうしたデジタル化の原理と電気の原理の融合によって可能となった超高速の情報処理・情報通信という技術的基礎のもとで発展してきたのです。

(3)〔ＡＩ＋５Ｇ＋ＩｏＴ＋ビッグデータ〕時代のデジタル化

デジタル化の技術は、20 世紀の半ば、とりわけ第二次大戦後にコンピュータが発明されてから、今日までに急速に進化･発展してきました。デジタル化の技術を実効性あるものにする通信インフラも着実に建設・整備されてきました。

今日のデジタル化の技術的発展の到達点を簡潔にあらわすならば、〔AI＋5 G＋IoT＋ビッグデータ〕時代のデジタル化ということができるでしょう。それぞれを簡単に解説しておきましょう。

ＡＩ（エーアイ）とは、Artificial Intelligence（アーティフィッシャル・インテリジェンス＝人工知能）の略語です。日本人工知能学会編集の『人工知能学大事典』（2017 年）では、「人工知能とは、推論、認識、判断など、人間と同じ知的な処理能力を持つコンピュータシステムである」と規定しています。つまり、ＡＩとは、ハードウェアとしてのコンピュータだけでなく、知的な処理能力のソフトウェアが一体となったコンピュータシステムと定義されています。21 世紀に入って、AI の能力が急激に向上しつつあるのは、ディープラーニング（※）という画期的なＡＩ技術が登場したことによるものです。また、コンピュータの計算能力の飛躍的上昇という技術的な前進があったこと、ビッグデータという膨大な情報の利用が可能になったことがあります。

（※）【ディープラーニング(深層学習)】 従来のＡＩは問題を解くためのルールをコンピュータに教え込み、膨大な計算を何度も繰り返して答えに達した。ディープラーニングでは、人間の脳を模範にしたネットワークの層をいくつも重ねることでコンピュータの学習能力を飛躍的に向上させた。まず過去の膨大な情報（ビッグデータ）を記憶させ、それをもとに自己学習を繰り返す。ＡＩの「アルファ碁」では、過去の棋譜を 10 万以上も記憶させ、3 千万回も自己対局して強くなったという。

５Ｇ（ファイブ・ジー）とは、5th Generation（第５世代通信）の略称です。現在規格化が進行中の第５世代の移動通信システムのことです。これまで、１Ｇ（1980年代＝通話のみ）、２Ｇ（1990年代＝メールやネットの利用が可能に）、３Ｇ（2000年代＝音楽や写真の送受信が可能に）、４Ｇ（2010年代＝電車内でも動画が受信可能に）へと、通信世代が発展するにつれて、送受信できるデータ容量や速度が向上してきました。これから始まる５Ｇでは、さらに飛躍的に通信技術とそれを支えるインフラが発展し、**表５-２**のように、実行速度では４Ｇの100倍に向上する予定です。

表５-２　現行の規格（４Ｇ）と５Ｇの比較

	４Ｇ（現行の規格）	５Ｇ（2020年商用化開始）	
最高速度	毎秒１ギガビット	毎秒20ギガビット	20倍
実行速度	毎秒数メガ～数十メガビット	毎秒数百メガ～１ギガビット	100倍
同時接続数	１平方km当たり数万台程度	１平方km当たり100万台	100倍
通信の遅れ	テレビ会議やオンラインゲーム向け	自動運転や遠隔手術にも対応	10分の１

（出所）「日経新聞」（2018年２月27日付）をもとに作成。

ＩｏＴ（アイ・オー・ティー）とは、英語の（Internet of Things）の３つの単語の頭文字をとった造語で、「あらゆるモノをインターネットで繋ぐ」という意味です。しかし、ＩｏＴが有効に機能するためには、より高速・大容量の通信技術が必要になります。現在規格化が進行中の５Ｇ（第５世代移動通信システム）の実現がＩｏＴの技術的基盤となっていくわけです。

ビッグデータとは、３つのＶ「Volume・Variety・Velocity」（多量・多様・超速）がいずれも桁違いな規模になっているという意味です。なによりも重要なビッグデータの特徴は、たんに集積された過去の情報（データ）という意味ではなくて、１秒ごとに膨張し続けていることです。地球上の膨大な数の企業の活動や、スマートホンからの個人情報を含むデータを吸い上げ、その規模は、日々刻々と膨張しています。サイバー空間に日夜集積され、膨張し続けているのが、ビッグデータの特徴です。

(4) ＤＸ（ディー・エックス）とは

最近、経済関係の新聞記事で、さかんにＤＸという用語が使われるようになっています。そこで、「デジタル化とは何か」とのかかわりで、ＤＸの意味にも、簡単に触れておきましょう。

ＤＸとは、Digital Transformation（デジタル・トランスフォーメンション）の略語ですが、実は、いろいろな定義や解説があり、なかなかとらえどころのない用語です。いちばん短く、比較的に分かりやすく説明している「日経」紙の「きょうのことば」を紹介しておきましょう。それによると、次のように定義されています。

「企業がビッグデータや人工知能（ＡＩ）、あらゆるモノがネットにつながる『ＩｏＴ』などのＩＴ（情報技術）を駆使し、製品やサービス、ビジネスモデルを変革すること。さらにＩＴで業務や組織の運営、企業文化も含めて改革することを指す。２００４年にスウェーデンのウメオ大学のエリック・ストルターマン教授が唱えた『ＩＴの浸透が人々の生活をあらゆる面でより良い方向に変化させる』との概念が起源とされる」（同紙、2020年８月10日付）。

つまり、〔ＡＩ＋５Ｇ＋ＩｏＴ＋ビッグデータ〕などを総動員することによって、企業の製品、業務、組織、企業文化まで根本的に改革するということのようです。菅首相は就任早々、各省庁に、「2025年度までにDXを完成するための工程表をつくれ」と号令をかけたそうですから、企業にとどまらず、行政もＤＸをやるということのようです。しかし、はたしてどんな工程表ができてくるのか。

(5) デジタル化による精神労働の代替

デジタル化の原理、とりわけ近年の〔ＡＩ＋５Ｇ＋ＩｏＴ＋ビッグデータ〕時代に入るとともに、デジタル化技術の産業的社会的実装（応用）が急速に進みはじめています。そこには、資本主義社会の限界と矛盾がありますが、その点については、次項で検討するとして、ここでは、デジタル化によって、人間の精神的労働が代替される可能性について述べておきましょう。

先に述べたように、ＡＩは、「推論、認識、判断など、人間と同じ知的な処理をおこなう超高性能のコンピュータシステム」です。産業や社会の各分野にＡＩが導入されて、ＡＩが労働手段として使用されるならば、これまでは、なかなか機械化することができなかった人間の精神労働（知的労働）の分野でも、最新鋭のＡＩコンピュータによって代替される技術的な道が開かれることになります。それは、一方では、社会全体の労働時間を大幅に短縮する可能性、その物質的条件を作り出します。しかし、他方では、資本制企業においては、人減らし「合理化」の手段となり、大量の失業者を排出する条件を拡大します。

（６）機械制大工業とデジタル化の関係

〔ＡＩ＋５Ｇ＋ＩｏＴ＋ビッグデータ〕時代のデジタル化は、物質的生産・流通過程の自動化、オートメーション化をいちだんと高い段階に押し上げる技術的可能性をもたらすでしょう。ロボットによる無人工場や自動運転などの試みがおこなわれるようになり、人間の肉体労働、精神労働の機械化が進行していくことになるでしょう。しかし、人間が物質的存在であり、人間が生存する世界、宇宙空間が物質的な存在であることは、〔ＡＩ＋５Ｇ＋ＩｏＴ＋ビッグデータ〕時代のデジタル化によっても、いささかも変わりません。コンピュータの情報処理機能そのものが半導体（超ＬＳＩ）という物質に支えられています。

デジタル化について考えるさいに忘れてならないことは、情報処理のデジタル化だけでは、鋼材やセメントは製造できないし、乗用車や飛行機も作れないということです。コンピュータもナノテクノロジー（超精密技術）による半導体製造機械を前提にしています。物質的生産・流通の基本過程においては、やはり機械や原材料などの物理的な生産手段が必要です。デジタル化によって物質的生産・流通過程そのものがなくなってしまうわけではありません。デジタル化社会になっても、衣・食・住の物質的な生活手段は必要です。

しかし、〔ＡＩ＋５Ｇ＋ＩｏＴ＋ビッグデータ〕時代のデジタル化の発展は、従来の重厚長大型、中央集中的な機械制大工業の生産方法だけでなく、軽薄短小型、地域分散的な生産方法の新しい技術的可能性の道を開くでしょう。

(※)〔ＡＩ＋５Ｇ＋ＩｏＴ＋ビッグデータ〕時代のデジタル化の特徴について、より詳しくは、拙著『ＡＩと資本主義』(本の泉社、2019年) を参照してください。

2．資本主義のもとでのデジタル化の矛盾

人間社会のさまざまな分野でデジタル化が進むことは、そのこと自体は、新しい科学技術の応用による社会的生産力の発展をもたらし、人類文明の進歩を意味します。しかし、資本主義社会のもとでは、さまざまな新たな矛盾を生み出します。唯物史観で言う「生産力と生産関係の矛盾」です。

(1) デジタル化に拍車をかける「特別剰余価値」の独占利潤化

資本主義社会のもとで、新しいデジタル化技術を開発する企業（資本）は、技術革新によって巨額な特別剰余価値（※）を得ることができます。とりわけ最新鋭のＡＩ搭載ロボットなどには、膨大な科学的な過去労働が蓄積されており、マルクスの言う「人間の頭脳の対象化された知力」ともいえる技術的価値をもっているので、巨大な特別剰余価値を獲得する手段となります。

世界中の大企業がＩＣＴ関連の技術開発をめぐって熾烈な競争を展開しています。それは、そうした技術開発が巨大な特別剰余価値をもたらすからにほかなりません。ＩＣＴ関連企業の株価の高騰は、ＩＣＴ企業の創業者たちに巨額な創業者利得をもたらし、彼らが長者番付の上位を占めることになります。

デジタル技術関連のベンチャー企業やスタートアップ企業は、新しい技術開発の特許を取得することによって、企業価値を高め、株式を上場

すれば株価が高騰して、ＩＣＴ企業の創業者は巨額な創業者利得を得ることができます。

(※) 特別剰余価値とは、ある生産部門において新しい生産技術の機械採用などによって平均水準以上の生産力をもつようになった資本家が入手する平均以上の剰余価値のことです。

デジタル化技術が資本主義企業にとって巨額な利潤の源泉になってきたことについては、このわずか四半世紀の期間に起業した米国のＧＡＦＡ（ガーファ：グーグル〔Google〕、アップル〔Apple〕、フェースブック〔Facebook〕、アマゾン〔Amazon〕）が瞬く間に巨大企業に急成長してきたことに象徴的に現われています。

ＧＡＦＡなどのＩＣＴ関連の巨大企業は、圧倒的な世界市場でのシェアをもとに、ＡＩ技術の革新によって得られる特別剰余価値を長期にわたって独占して法外な超過利潤を獲得しています。巨大なコンピュータ・プラットフォームを利用して、ビッグデータの「囲い込み」をおこない、情報支配を国際競争力の源泉としているからです。巨大ＩＣＴ企業による、激烈な競争による特別剰余価値の獲得と、その独占的な獲得（独占利潤への転化）という、一見すると矛盾する原理が支配しているわけです。

（2）デジタル化と資本の「利潤原理」との矛盾
―― 日本が国際的に後れたのはなぜか

コロナ・パンデミックは、デジタル化社会の進行に拍車をかけるでしょう。

しかし、資本主義的生産様式を前提とする社会では、資本の「利潤獲得の目的」とたえず衝突しながら、その限界内でのデジタル化にとどまることになります。マルクスが『資本論』第Ⅰ巻第13章の冒頭で、機械採用の限界として述べたことが、デジタル化についても基本的にあてはまります。

2020年代の日本資本主義の現実問題としては、日本のデジタル化が国際的に大きく遅れているという実態があります。安倍内閣は、2020年7月17日に発表した「骨太の方針」（経済財政運営の基本方針）に先立って「世界最先端デジタル国家創造宣言」を閣議決定しています。同宣言では、コロナ後を踏まえた「新しい生活様式」に対応して、高度情報通信ネットワーク社会形成基本法（ＩＣＴ基本法）の全面見直しによる法改正をおこなうとしています。しかし、実は、日本政府が「最先端ＩＴ国家創造宣言」を発表したのは、今から７年も前の2013年６月のことです。そのときも、「今後、５年程度の期間（2020年まで）に、世界最高水準のＩＴ利活用社会の実現」などと宣言していました。ところが日本は、いまだに“最先端”どころか、ＯＥＣＤ（経済協力開発機関）のなかでは、10位以下というのが実態です。

日本のデジタル化が国際的に大きく遅れてしまったのはなぜなのか。

それは、一般的な資本主義の「利潤原理」だけでは説明できません。日本の大企業の場合、あまりにも短期的な極大利潤ばかり追求して、それを内部留保として溜め込んで、労働の軽減やデジタル化のための「人材」への投資、社会進歩のために必要なデジタル技術の研究開発には有効に投資してこなかったからです。この背景には、他の資本主義諸国に比べても、日本大企業が「新自由主義型経営」にどっぷりとつかってきたという異常な歪みがあります。

これからの日本社会のデジタル化を考える場合にも、日本のデジタル化が遅れてしまった原因――日本大企業の「新自由主義型経営」のゆがみを正さないならば、決して成功しないでしょう。

（３）デジタル化による「生産と労働の社会化」と国家の新しい役割 ――ドイツと日本の違い

生産過程のデジタル化は、工場内、企業内に閉じられていた労働過程の内と外をネットワークにつなぎ、ＩｏＴ（モノのインターネット）によって「生産と労働の社会化」を新しい段階に推し進めることになるでしょう。

21世紀に入るころから、〔ＡＩ＋５Ｇ＋ＩｏＴ＋ビッグデータ〕時代の幕が開くにつれて、世界各国はＩＣＴ関連の国家戦略を競い合うようになってきました。これは、ＡＩ、ＩｏＴ、ビッグデータなどのＩＣＴ

革命の新段階の生産力的な特徴が「生産と労働の社会化」に拍車をかけて、資本主義国家の新たな経済的な役割が生まれてきたことを示しています。こうした新しい時代の到来にたいして、いち早く対応したのは、ドイツ政府でした。ドイツではメルケル首相（2005年～）のもとで、2010年に「Industrie4.0」（インダストリ4.0）の名称で巨大な戦略的国家プロジェクトを立ち上げて､大々的に取り組み始めました。その後、英国、米国、イタリア、中国などが、次々とＩＣＴ関連、ＡＩ関連の国家プロジェクト構想を立ち上げてきました。

ドイツ政府が推進しつつある「Industrie4.0」は、最初は業界団体で始まり、政府が中小企業の底上げに活用しようというねらいから開始したと言われます。しかし、ドイツ政府は、デジタル機器の標準化を国家主導で進め､デジタル化を中小企業を含む全国的取り組みにするために、巨額の国家予算を組んでいます。その意味では、ドイツ政府の「Industrie4.0」の取り組みは、生産力としての技術革新の側面だけではなく、生産関係にたいする国家の介入の側面も持っているといえるでしょう。つまり、デジタル化社会を推進するための新たな「国家資本主義」の試みとしての性格を持っているといえるでしょう。また、ドイツでは、産業界の「Industrie4.0」の取り組みに呼応する形で、労働社会省が中心となって、１年半にわたる国民的議論をへて、2016年11月に「労働白書4.0」（Weißbuch Arbeiten 4.0）を発表しています。この「白書」は、デジタル化が労働と労働者に及ぼす影響を分析し、労働・社会政策の新たな課題を検討して､デジタル化社会に対応する新たな｢労働改革」の必要性を主張しています。

ドイツ政府が2010年に立ち上げた「Industrie4.0」に10年遅れて、日本の菅政権は、2021年に「デジタル庁」を新設して、デジタル化を進めるなどと言っています。しかし､そのデジタル化政策の根本理念は、従来とまったく変わらない「新自由主義」路線による「規制改革」というものです。菅内閣のデジタル改革関係閣僚会議では、デジタル化推進の手始めに、行政手続きでハンコを使用しないよう全府省に要請したそうです。ハンコ行政を無くすことで、デジタル化社会が実現するとでも考えているのでしょうか。これでは、ドイツと日本の差はますます開くばかりでしょう。

3．デジタル化による「働き方改革Ⅱ」
―― 復権ねらう「新自由主義」

コロナ・ショックで破綻した「新自由主義」の唱道者たちは、「デジタル化社会」論を旗印にして復権をもくろんでいます。たとえば、かつて「新自由主義」路線の旗振り役だった竹中平蔵氏は、「世界はすさまじい勢いでデジタル資本主義の時代に入っていく」、「デジタルの新常態をつくるには政府に司令塔が必要だ」、「内閣府に『マイナンバー・デジタル庁』を新設して首相が直轄する」などと、臆面なく「デジタル新常態」論を吹きまくっています（「コロナ危機と日本の経済政策」日経新聞、7月24日付）。

こうした「新自由主義」論者たちの「デジタル化社会」論と軌を一にして、財界・大企業は、デジタル化による「働き方改革Ⅱ」などと言い始めています。

中西宏明経団連会長は、2020年5月に開かれた経済財政諮問会議に提出した提案文書のなかで、在宅勤務・テレワークについて、「（現行制度の）時間管理の厳密さに対して、大変やりにくさを感じている」などと指摘して、“残業代ゼロ制度”を導入した2019年の「働き方改革」に続く、「働き方改革フェーズII」の推進を求めました。

「テレワークが大きく進む中で、……こうした流れを定着加速させるためには、兼業・副業の推進、時間管理の弾力化や成果型管理の推進、リカレント教育機会の充実、働き方で違いを生まない社会保障制度の構築等を総合的に行い、働き方改革2.0ともいうべき政策を推し進めるべきである」。「新たな挑戦が可能となるような、ジョブ型正社員の促進など年功序列にとらわれない業務環境の整備やマッチングを充実させるとともに、新たな技能の獲得に当たって、個人のインセンティブを最大限発揮させ、労働移動の促進や教育訓練等に資する個人向けの給付を充実すべき（である）」（経済財政諮問会議〔5月29日〕への中西経団連会長氏など民間議員連名の提案文書。内閣府のホームページより）。

中西経団連会長は、この「提案」では、デジタル化を利用した「働き方フェーズⅡ」などと称していますが、その中身は、すでに労働者・国民の批判で破綻した「フェーズⅠ」の方策、「時間管理の弾力化」「ジョブ型正社員の促進」「年功序列にとらわれない業務環境」「労働移動の促進」などなどを強引に蒸し返そうとしているにすぎません。まさにコロナ・ショックのもとでの“火事場泥棒”（カナダのジャーナリストのナオミ・クラインの言う「ショック・ドクトリン」）というべきものでしょう。

コロナ終息後に、日本社会のデジタル化がどのように進展するか、デジタル化が雇用のあり方、労働密度、労働時間、労働条件にどのような影響を与えるか、今後の進展は必ずしも明らかではありません。その動向を注視する必要があります。

4．デジタル化と労働者 ―― デジタル化の２つの側面

内閣府の調査によると、今年の前半に、東京23区でテレワークを経験した人は55.5％にのぼっています。コロナ・パンデミックが続くとともに、大企業がテレワークやオンライン会議などのデジタル化を経営に取り入れてくることは十分考えられることです。社会のあらゆる分野でのデジタル化の進行は、これからの労働組合運動などにとっても、無視できない影響をもたらすでしょう。

（1）デジタル化による失業者増大の懸念

資本主義的な経営では、利潤追求のために、たえず機械化による人減らし「合理化」、リストラがおこなわれてきました。デジタル化は、個々の企業レベルの「生産性上昇」のための人減らしに拍車をかける危険が

あります。しかも〔ＡＩ＋５Ｇ＋ＩｏＴ＋ビッグデータ〕時代のデジタル化は、これまでのような個々の企業、個々の職場での「合理化」にとどまらずに、ある職種そのものがそっくりＡＩや人型ロボットに置き換わって、社会的に大量失業が発生するのではないかという懸念も生まれています。

国際的にみるならば、ＡＩの進化にともなう大量失業の起こる可能性については、2013年秋に発表された英国・オックスフォード大学のフレイ博士とオズボーン准教授が連名で発表した論文「雇用の未来―コンピュータリゼーションは仕事にどう影響するか？」が世界各国で大きな反響を呼んだことがきっかけになりました。同論文では、まさに最新のＡＩ技術を駆使した方法によって、コンピュータリゼーションによる大量失業の可能性、たとえば米国の場合は47％の雇用が危険にさらされる可能性がある、などという予測を精緻な確率統計的な分析によって実証してみせたからです。(※)

(※）フレイ＆オズボーン論文については、拙著『AIと資本主義』（本の泉社、2019年）の69頁~72頁で検討しています。

オズボーン論文は、日本の雇用問題の研究にも大きな影響を与えました。たとえば、野村総合研究所がオズボーン准教授らと共同研究した日本の雇用問題の試算では、ＡＩ導入によって49％の雇用が失われる可能性があるなどとしています。経済産業省が2017年５月に発表した「新産業構造ビジョン」では、ＩＣＴ（情報通信技術）革命、とりわけＡＩなどの発展によって、このまま放置すれば大量失業が生まれる可能性があるとして、次のように述べています。

「ＡＩやロボット等の出現により、定型労働に加えて非定型労働においても省人化が進展。人手不足の解消につながる反面、バックオフィス業務等、我が国の雇用のボリュームゾーンである従来型のミドルスキルのホワイトカラーの仕事は、大きく減少していく可能性が高い」（同ビジョンの説明資料、14頁)。

同ビジョンの「産業構造の試算」によると、「定型労働に加えて非定型労働においても省人化が進展」、「ホワイトカラーの仕事は、大きく減少」するために、「現状放置」の条件の場合は、従業員数が735万人も減少すると試算しています。もちろん、この試算は、各産業の雇用者総数の減少を示すだけですから、直ちに失業者の増大を意味するものではありません。しかし、大量の失業者が増大する可能性を示唆しているとみることはできるでしょう。すでに金融業界では、ロボットによるオフィス業務の自動化を意味するＲＰＡ（ロボテック・プロセス・オートメーション）の導入が進められています。

（2）「デジタル日雇い労働者」の懸念

〔ＡＩ＋５Ｇ＋ＩｏＴ＋ビッグデータ〕時代のデジタル化の生産・流通過程への導入による雇用の劣化は、大量失業という形態だけではありません。「資本・賃労働関係」そのものにも、新しい変化を生む可能性があります。インターネットに繋がったパソコンやスマホなどを使った自営業者的な就業形態（プラットフォーム型雇用）の一定の条件が生まれてきています。ダボス会議（世界経済フォーラム）の主宰者・クラウス・シュワブは、『第四次産業革命』（邦訳、日本経済新聞出版社、2016年）のなかで、ＩＣＴ革命やＡＩの導入によって、プラットフォーム型雇用の形態が可能になると強調し、「デジタル経済における企業、特に急成長するベンチャー企業にとってのメリットは明確だ。ヒューマン・クラウド・プラットフォームが、労働者を従業員ではなく自営業者として扱うため、企業は、最低賃金、雇用税、社会保険の支払い義務を免れる」（69頁）と述べています。

ＩＬＯ（国際労働機構）の報告書『輝かしい未来と仕事』（Work for a brighter future：2019年）では、労働者の立場から、テレワークなどのデジタリゼーションの雇用や労働条件への影響について検討して、「デジタル日雇い労働者」を生む可能性があると厳しく警告しています。

「このままの流れでは、デジタル経済は地域間格差およびジェンダー格差を拡大させていく可能性が高い。そして、プラットフォーム経済を構成する、クラウドワークのウェブサイトやアプリの仲介する仕事は、19 世紀からの労働慣行を再現し、『デジタル日雇い労働者』（※）という将来世代を生みだす可能性がある」（邦訳文書、18 頁）

（※）ILO 報告書の「デジタル日雇い労働者」に付された（注記）では、ドイツのメルケル首相が 2018 年 5 月 15 日のドイツ連邦議会の演説で使った用語（独語では、“digitale Tagelöhner”）としている。

（3）テレワークと労働者への管理強化 ――「勤怠管理」とプライバシー

〔AI+5 G+IoT+ビッグデータ〕時代のデジタル化の労働者への影響は、失業や雇用劣化だけではありません。労働者階級全体にたいする管理強化という変化をもたらす可能性があります。この点についても、前述の ILO 報告は、次のように述べています。

「デジタル技術は、労働者保護の効果的な適用に関して、新たな課題も提示する。デジタル労働プラットフォームは、世界各地の多数の労働者に新たな収入の源泉をもたらすが、その一方で、国際的な管轄をまたぎ仕事が分散するという性質により、準拠する労働法の順守状況の監視が困難になる。デジタル労働に対する賃金は低いことがあり、それはしばしば通常の最低賃金を下回り、不公正な処遇を是正する公的な仕組みは設けられていない。将来的にこのような形態の仕事の拡大が予想されるため、デジタル労働プラットフォームに関して、一定の最低限の権利と保護を尊重することをプラットフォーム（およびそのクライアント）に要求する国際的なガバナンス制度を設けることを推奨する」（同、44 頁）。

「我々はまた、人工知能について、仕事に影響する最終的な決断はアルゴリズムではなく、人間自身が行う『人間主導』のアプローチを支持する。センサー、ウェアラブル、その他の形態のモニタリングを通じたアルゴリズムに基づく労務管理、監視、統制は、労働者の尊厳を守るために規制しなければならない。労働者は商品ではない。またロボットでもない」。（同 43~44 頁）

コロナ禍のなかで、テレワークによる在宅勤務が増えるとともに、最新のＩＣＴ技術を使った「勤怠管理」のソフトがいっせいに売り出されています。「勤怠管理」とは、「従業員の出退勤、休暇、欠勤などの状況を把握し、適切な勤務時間を守れているかどうかを管理すること」と解説されています。しかし、労働時間の管理というイメージより、はるかに深く、従業員の私生活に食い込む「管理強化」になる懸念があります。会社が貸与しているパソコン、スマホ、タブレットの使用状況、着席、入退出の時間、会話の記録まで、勤怠情報が集中できるシステムが開発されはじめています。

表5-3　情報セキュリティ 10 大脅威 2020

1	標的型攻撃による機密情報の窃取
2	内部不正による情報漏えい
3	ビジネスメール詐欺による金銭被害
4	サプライチェーンの弱点を悪用した攻撃
5	ランサムウェアによる被害
6	予期せぬＩＴ基盤の障害に伴う業務停止
7	不注意による情報漏えい
8	インターネット上のサービスからの個人情報の窃取
9	IoT 機器の不正利用
10	サービス妨害攻撃によるサービスの停止

（出所）IPA（情報処理推進機構）資料より

たとえば、住友商事系の情報システム会社ＳＣＳＫは、従業員に小型のタグを持たせ、オフィスに設置した中継器や従業員のスマートホンを通じて位置情報を収集し、いつどこで勤務しているかを管理者のパソコン画面上で確認できるようにする「勤怠管理」サービスの提供をはじめています。セイコーソリューションズは、在宅勤務の打刻と同時に体温の測定・記録が可能な勤怠管理用の端末を発売しました。

こうした在宅勤務の管理強化は、いわば従業員の家庭内に会社の「監視カメラ」を据え付けて四六時中見張っていることに等しく、プライバシーの侵害、人権侵害になりかねません。

在宅勤務によるテレワークには、企業にとっても、さまざまなセキュリティ上の不安があることが指摘されています。ＩＰＡ（情報処理推進機構）は毎年「情報セキュリティ 10 大脅威」を発表していますが、デジタル化経営とともに、経営情報の外部漏洩、サイバー攻撃、予期せぬＩＣＴ基盤の故障など、セキュリティ上の不安が増大しています（表5-3）。

（4）デジタル化を利用する労働運動の可能性

ＩＬＯの報告書は、労働者の立場にとってのデジタル化の積極的側面についても、次のように指摘しています。

「人工知能、ロボティクス、センサーなどの技術は、仕事を改善する無数の機会を提供する。たとえばデータマイニングの活用による知識の抽出は、労働行政が危険の高い分野を特定し、労働監督官制度を改善するために役立つ。アプリやセンサーなどのデジタル技術は、企業と社会的パートナーがサプライチェーンにおける労働条件や労働法令順守の監視を容易にする。」(43～44頁)

もちろん、デジタル技術による「仕事の改善」や「労働法令順守の監視」は、あくまでも技術的可能性であり、それを現実に実現するためには、政治的社会的な条件が必要です。労働者と国民の闘いが必要です。なによりも、労働組合運動の力が必要です。

さらにまた、ＩＬＯの報告書は、デジタル技術は労働組合運動にとっても新しい可能性をもたらしていると指摘しています。

「労働者団体は、労働者を組織化するために、デジタル技術の活用を含め革新的な組織化手法を採用する必要がある。多様な職場と諸国にまたがる労働者を、デジタルな手段を通じて組織化し、インターネットで繋がって共に行動するという新しい形の活動を展開することが可能である」(同報告、42頁)。

とりわけ留意すべきことは、労働者団体は、デジタル技術を活用して職場の外部（多様な職場と諸国）の労働者と連携し、インターネットで繋がって新しい戦略を展開できると指摘していることです。

18世紀から19世紀にはじまる産業革命は、世界史的に資本主義的生産様式を確立させ、労働者階級の形成と発展、労働組合運動展開の道を切り開きました。現代のデジタル技術の進化は、労働者階級にとっても、新しい形態の運動を発展させる武器を準備しつつあると言えるでしょう。

5．デジタル化の影響についての調査・研究の課題

これまで繰り返し述べてきたように、パンデミックによる社会的危機が、狭い意味の経済過程だけでなく人間の社会的諸関係の全体にかかわるものであるだけに、そこからの回復過程でも、さまざまな分野で最新のデジタル技術が利用されていく可能性があります。これは、経済恐慌からの回復期に、生産過程での技術革新が急速に進むことに対応しています。

しかし、実際に日本社会のデジタル化がどのように進展するか、デジタル化が雇用のあり方、労働密度、労働時間、労働条件にどのような影響を与えるか、今後の進展は必ずしも明らかではありません。その動向を注視する必要があります。

またテレワークなどのデジタル化のもとでの「新しい働き方」についても、労働者の立場から、さまざまな調査と分析が必要になっています。たとえば、**表5-4**のような課題があります。

デジタル化による労働と労働者への影響については、理論的な研究と同時に、実際の産業・企業・社会の現場における実態の調査・分析が不可欠です。労働組合運動においても、研究者と協力しながら、独自の調査・分析のためのプロジェクト企画を立ち上げて、深く研究することが急務になっています。

表5-4　デジタル化と労働・労働者への影響

❶	労働内容（肉体労働と精神労働）への影響
❷	労働過程（労働・労働対象・労働手段）への影響
❸	労働様式（分業と協業）への影響
❹	労働者構成（指揮・監督技術者）への影響
❺	労働日（勤務時間・休憩時間・通勤時間）への影響
❻	労働時間と生活時間（「ワーク・ライフ・バランス」）への影響
❼	雇用形態・労働条件（賃金など）への影響
❽	労働災害への影響
❾	労働者の健康への影響
❿	労働者の家庭生活（家族関係）への影響
⓫	労働法制への影響
⓬	労働組合運動の活動形態への影響――　などなど

（出所）筆者作成

【コラム❺】

疫学の発展とビッグデータの時代

【コラム❶】で見たように、感染症の原因、対策などを研究する学問としての疫学が本格的に発展しはじめるのは、英国のジョン・スノウ(1813–1858)が1854年にロンドンのソーホー地区で起きたコレラの発生原因の疫学的調査・研究をおこなってからです。

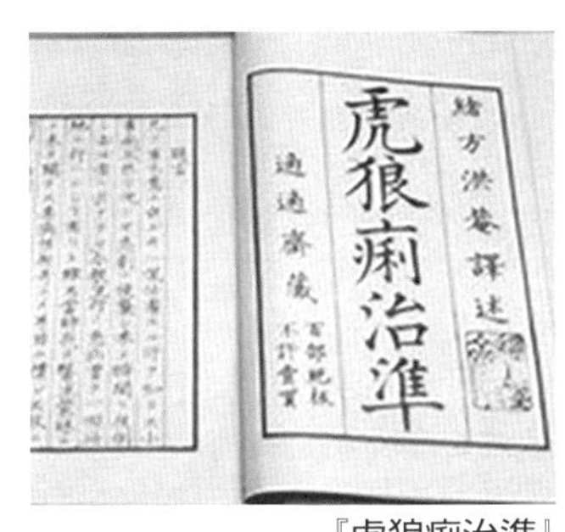

『虎狼痢治準』

スノウがロンドンでコレラの疫学調査に取り組んでいたころ、日本では緒方洪庵（1810–1863）が安政5年（1858年）のコレラ大流行とたたかっていました。洪庵は、『虎狼痢治準』（コロリ チジュン）というコレラ治療の手引書を書いています(当時の日本ではコレラは「コロリ」と呼ばれていた)。

日本では資本主義の生成・発展とともに、早くから疫学が発展し、世界的に大きな貢献をしてきました。たとえば、高木兼寛、鈴木梅太郎の脚気の研究、北里柴三郎のペスト菌の発見、野口英世の黄熱病の研究などが、よく知られています。

20世紀後半からは、疫学の研究対象は、大きく広がっていきます。

「近年、伝染病が減り、脳卒中、癌、心臓病、糖尿病などの非伝染性の疾病が増加するにしたがって、これらの病気をも対象にするようになってきた。このような疫学の歴史的変化は近年さらに進んで、いまではいわゆる病気だけではなく、交通事故、労働災害、不慮の事故、自殺、アルコール中毒、大気・水質・土壌・食品の汚染による健康破綻（はたん)、離婚なども対象とする本来の疫学に立ち戻っている」(『平凡社：世界百科事典』)。

さらに近年は、疫学の研究対象の拡大とともに、疫学の研究方法、研究手段も、統計学の発展とＩＣＴ（情報通信技術）を利用することによって飛躍的に進展してきました。

「その考え方はヒューマン・エコロジー（人類生態学）を基盤とするので、疫学を医学生態学（medicalecology）ということもある。こうして原因究明を分析的疫学が確立し、原因も単一の病原菌から複合要因の究明へと進展してきた。このような理論の進展を支える技術面の進歩に加えて、大型コンピュータの開発によって大量の資料を速やかに処理できるようになったことと統計学の進歩があった」(同)。

今回のコロナ・パンデミックにさいしても、感染状況のビッグデータを収集し、スーパーコンピュータで分析して、クラスター（集団感染）を追及して対策を講ずることがおこなわれています。

第６章

コロナ後の日本資本主義の課題
―― 再生産構造のゆがみ（矛盾）を立て直す

コロナ・パンデミックは、戦後日本社会が歴史的に累積してきたさまざまな矛盾を表面化させ、歴史的な視点から日本資本主義の課題をとらえることを迫っています。

第６章では、当面のコロナ・ショックからの経済回復という短期的な視点でなく、戦後の日本資本主義の歴史を振り返りながら、コロナ後の日本資本主義の課題について考えてみたいと思います。（なお、現代日本社会の経済的な矛盾の特徴については、本章の末尾に付した別項「今日の日本資本主義の矛盾は層をなして重なっている」を参照してください）。

1.「劣化する日本資本主義」
―― 自公政権には、日本経済は立て直せない

財界・大企業経営者は、コロナ後の日本社会の課題について、どう考えているのでしょうか。

日本経団連の中西宏明会長（日立製作所会長）は、いろいろな雑誌の

インタビューに登場していますが、たとえば『中央公論』（６月号）では、編集者に「今後どうするか」と問われて、こう述べています。

「今回の事態は全貌が分からない」。「今回のパンデミックは、こうすればいいという処方箋があるわけではない」。「まずは自分でなんとかするしかない。経営者の手腕が求められる局面だと思いますよ」。

このインタビューは、おそらくコロナ禍がはじまってから間もない３月～４月におこなわれたものでしょうから、やむを得ないとも言えますが、それにしても、「まずは自分でなんとかするしかない」というだけでは、財界の最高幹部である経団連会長としては、少々おそまつです。今回のコロナ・パンデミックが明らかにしたこと、その歴史的な意味を深く考えていないのではないのか、と思わざるを得ません。

第４章で述べたように、コロナ後の日本社会の経済危機からの回復は、従来のケインズ主義的景気政策、財政金融面からの需要喚起をはかる不況対策だけでは、十分な効果をあげることができないことが予想されます。

もちろん、コロナ・ショックによる需要の減少を回復するための財政支出、とりわけ失業者や自営業者、低所得者の家計や営業の減収を補う緊急の財政措置や消費税減税などの政策は、国民の生活と営業を支えるために不可欠であり、当面の不況対策として大規模におこなうことが必要です。しかし、コロナ後の経済政策では、当面の需給バランスの回復という経済対策だけでなく、より長期的な視点に立って、さまざまな矛盾が重なって劣化が進みつつある日本資本主義を立て直す対策を計画的に進めることが必要です。いいかえるなら、コロナ後の日本では、ただ当面の不況対策という産業循環的な経済政策だけでなく、2020年代の日本資本主義は大きな転換期に入っているという歴史認識に立った根本的対策が必要です。

「日本資本主義の劣化」の表れの１つが、先に第５章でもとりあげた「デジタル化の遅れ」の問題です。ＩＣＴ革命の新たな段階とは相いれなくなっている「新自由主義」路線による「成長戦略」から根本的に転換して、国民経済の発展のための長期的な「社会経済計画」を策定し、国家戦略として産業と技術の長期的な発展方向の実現をめざさないかぎり、「日本資本主義の劣化」は、2020年代以降、ますます進むことになるでしょう。

しかし、こうした「新自由主義」路線からの根本的転換は、安倍政治を忠実に承継する菅政権には、臨むべきもありません。自公政権では、とうてい日本経済を立て直すことはできません。

本章では、このような意味で、コロナ後の日本資本主義が避けて通れない課題 —— 再生産構造上のゆがみを立て直すために取り組むべき課題について見ておきましょう。

2．雇用、賃金、社会保障など、国民生活優先の経済政策へ転換する課題

政府・財界は、国民にたいして、コロナ後には「新しい生活様式」が必要だ、などと盛んに宣伝しています。「新しい生活様式」とは、もともとは「新型コロナウイルス感染症専門家会議」の提言（2020年5月4日）のなかで提唱された、いわゆる「3密：密集・密接・密閉の回避」などの感染症を防ぐ基本的な生活様式のことです。厚労省は、この提起を拡張して、「新しい生活様式」のための「働き方の新しいスタイル」として、次の5つの課題をあげています。

❶テレワークやローテーション勤務　❷時差通勤でゆったりと　❸オフィスはひろびろと　❹会議はオンライン　❺対面での打合せは換気とマスク

たしかに、感染症・パンデミックの教訓を活かした、「新しい生活様式」や「働き方の新しいスタイル」を検討することは必要でしょう。あながち、こうした改革を否定するわけではありません。

しかし、コロナ後の日本社会で、まずなによりも必要なことは、日本

表6-2　政府（厚労省）の提唱する「新しい生活様式」

□まめに手洗い・手指消毒　□咳エチケットの徹底
□こまめに換気（エアコン併用で室温を 28℃以下に）　□身体的距離の確保
□「3密」の回避（密集、密接、密閉）
□一人ひとりの健康状態に応じた運動や食事、禁煙等、適切な生活習慣の理解・実行
□毎朝の体温測定、健康チェック。発熱又は風邪の症状がある場合はムリせず自宅で療養

（出所）厚労省のホームページより。

大企業の異常なまでの利潤優先の経営をあらためて、長期的な視点に立って日本経済の構造を国民生活優先に立て直すことです。

国民に「新しい生活様式」への転換を求めるのなら、政府としては、国民生活優先の「新しい経済政策」への転換をおこなうべきでしょう。筆者は、雑誌『経済』（2018 年４月号）が「2020 年問題の論点」という特集を企画した時に、「ＡＩ『合理化』と人口減少社会」という論文を書いたことがあります。この論文で筆者が強く主張したことは、「自公政権と財界の政策路線がこれからも続くならば、2020 年代の日本資本主義は、失業の増大と人材不足が並行して進む、きわめて矛盾に満ちた厳しい時代となる」ということでした。コロナ後にも自公政権が続くならば、この２年前に書いた 2020 年代の予想は、ますます現実的なものになると懸念されます。

この課題は、まさにわれわれが、この二十数年間、自公政権の「新自由主義」路線や大企業の「新自由主義型経営」の転換を求めて主張してきたことにほかなりません。われわれが提起してきた政策は間違っていなかった、コロナ・ショックによって、それがますますはっきりしてきたのです。

自公政権のもとで「新自由主義」路線が本格的に推進されはじめる以前には、保守政権のもとでも大企業本位の日本経済の構造を改革する政策が提起されたことがありました。たとえば、宮沢喜一内閣（1991 年 11 月～93 年８月）のもとで策定された『生活大国五ヵ年計画—地球社

会との共存を目指して』(1992年6月)は、政府の経済計画の中心目標を初めて「国民生活」においたうえで、政策運営の基本方向を「環境と調和した内需主導型経済構造の定着」としています。この「生活大国」をめざす経済計画は、具体的な政策では、たとえば、当時年間2100時間をこえていた総実労働時間を、完全週休2日制の普及や有給休暇の取得率向上などで年間1800時間を目標とすることなどをあげています。これは政府が労働時間の短縮に公式に取り組んだ端緒といわれます。

この「生活大国五ヵ年計画」は、自民党の一党支配政治にたいする国民の批判で自民党の支持率が長期低落するなかで、一定の"政策転換"の兆しともいえるものでした。しかし、1年後の93年6月の総選挙で自民党は大敗し、宮沢首相の退陣とともに、「生活大国」の目標も、わずか一年で雲散霧消する結果となりました。

自民党の38年にわたる単独政権が1993年に崩壊してから、さまざまな政党の離合集散が繰り返されて、非自民の連合政権による日本経済の構造改革の試みはありました。しかし、結局、その課題は実現しないまま、今日まで、自公政権の「新自由主義」路線が続くことになっています。

3. 大企業の「新自由主義型経営」を転換する課題

日本資本主義の劣化を内部から促進しているのは、《資本：賃労働》間の基本的な労働・雇用関係のあり方が、あまりにも大企業の利潤を優先する構造となり、しかも短期的で目先の利益だけを強引に追い求める「新自由主義型経営」のやり方が長期化していることです。

資本制企業が利潤を求めて経営活動をおこなうのは、資本主義社会である限りは当然のことではあります。しかし、日本の大企業の場合は、その利潤追求のやり方が諸外国と比べてあまりにも度を超えています。日本銀行が発表したＯＥＣＤの資料によると、2000年を基準とする実質賃金の水準は、サミット参加の主要7か国のうち、日本だけがマイナスになっています(表6-3)。

ここでもう一度、戦後日本資本主義の歴史を振り返っておきましょう。前項で触れた「生活大国５か年計画」が幻のまま消えた、ちょうどその時代、1990年代前半から後半にかけては、日本の財界・大企業は、ＩＣＴ（情報通信技術）革命と多国籍企業化にともなう経営戦略の大転換のさなかにありました。雇用・賃金・労働時間にかかわる労務管理の面でも、従来の「日本的経営」から「新時代の『日本的経営』」を具体化する大転換をすすめつつありました。これは大企業の多国籍企業化にともなって、従来の「日本的経営」を「新自由主義型経営」へ転換していくことを意味していました。

表６－３
Ｇ７諸国の中で、日本だけ賃金低下
(2000年～2016年の実質賃金の伸び率(ドル)

	2000	2016	伸び率(%)
カナダ	38,941	48,403	124.3
フランス	35,991	42,992	119.5
米国	51,877	60,154	116.0
英国	37,356	42,835	114.7
ドイツ	41,388	46,389	112.1
イタリア	34,390	35,397	102.9
日本	39,623	39,117	98.7

（注）購買力平価でドル換算
（資料）ＯＥＣＤの統計をもとに筆者試算

当時の日経連が発表した『新時代の「日本的経営」』(1995年５月)では､今後の労働力政策として（Ａ）長期蓄積能力活用型グループ　（Ｂ）高度専門能力活用型グループ　（Ｃ）雇用柔軟型グループ、の三つのタイプに労働者をふるいわけし、採用から処遇まで徹底的に差別化していく方向を打ち出していました。これは、従来の、いわゆる「終身雇用」、「年功賃金」などの「日本的経営」を大企業が自ら解体しながら、徹底的なリストラ・人員削減をおこない、失業者や非正規雇用者を大量に作り出して、労働者支配の新たな方向をめざすという経営戦略でした。実際に、1990年代後半から、大企業は正規雇用を徹底的に減らしながら、パート、派遣、契約、請負などの非正規雇用に切り替え、正規雇用者にたいしては、成果主義賃金を導入して、「総額人件費」の削減をすすめてきました。

こうした日本の大企業の経営戦略の大転換――「日本的経営」から「新

自由主義型経営」への転換は、ますます短期的な利潤追求の「労務戦略」を極限まで追求するということであり、貧困と格差の拡大をもたらすものでした。

こうした「新自由主義型経営」への大転換が始まる前に、財界の側から、日本大企業の経営改革が必要ではないかという問題提起がなされたことがあります。盛田昭夫ソニー会長が雑誌に発表した論文「『日本型経営』が危ない」(『文藝春秋』1992年2月号)です。この、よく知られている論文のなかで、盛田氏は、「我々日本企業のやり方に対する欧米企業の我慢が限界に近づいてきている」、「欧米から見れば異質な経営理念をもって世界市場で競争を続けることは、もはや許されないところまで来ている」という情勢認識を前提にして、次のように提案しています。

「……我々企業人は、これまでに経営の上で十分考慮してこなかった面がないかどうか、今一度我々の企業理念を真剣に考えるべき時なのです。そこで我々企業人は、まず最初のステップとして、次のようなことを考えていくべきではないでしょうか。

1)生活に豊かさとゆとりが得られるように、十分な休暇をとり、労働時間を短縮できるように配慮すべきではないか?(以下、中略)

2)現在の給与は、企業の運営を担うすべての人達が真の豊かさを実感できるレベルにあるのか。貢献している人々がその働きに応じて十分に報われるシステムになっているか?(以下略)」(同誌、101~102頁)。

しかし、現実には、日本の大企業経営は、「盛田提言」とはまったく逆の方向へ舵を切っていくことになります。先に述べたように、1990年代後半以降の「新時代の『日本的経営』」の名による、「新自由主義型経営」の全面的な導入・推進です。

コロナ後の2020年代には、日本資本主義の劣化を促進する大企業の「新自由主義型経営」の根本的転換を求める課題、かつて「盛田提言」の形で財界内部からも提案された方向の実現をめざすたたかいが必要です。

4．食料とエネルギーの自給率の向上など、再生産の基盤を確立する課題

戦後の日本資本主義は、アメリカに追随して、農業を切り捨て、石炭など国内のエネルギー自給体制を切り捨て、ひたすら多国籍企業によるグローバリゼーションの道を突き進んできました。

食料問題とエネルギー問題の重要性は、それが、ただ食料とエネルギーの問題だけではなく、日本資本主義の再生産の基盤、日本経済全体の再建の基礎になるからです。つまり、経済全体を民主的に、国民本位に立て直す旋回基軸になるからです。

（1）日本経済を立て直す２つの旋回基軸

行き詰った拡大再生産の軌道を敷きなおし、新たな拡大再生産軌道を形成するためには、官民一体となって推進する「旋回基軸となる産業」がぜひとも必要です。ここで「旋回基軸となる産業」というのは、ちょうど飛行機が大きく旋回して方向を変える時のように、再生産のあり方を大転換するために基軸となる産業のことです。

戦後日本が侵略戦争に敗北してのち、1945年から50年代前半に、戦後復興期と言われる一時代がありました。この時期、日本経済は、生産力の面からみてもどん底の状態から10年足らずで急速に復興しましたが、その経済再生の要になったのが、エネルギー政策（当時は石炭増産）であり、食料増産、農業の再建でした。エネルギーと食料、これが再生産の土台、日本経済復興の旋回基軸になりました。

コロナ後の今日、敗戦後のような生産力の崩壊はおこっていませんが、やはり共通しているのは、エネルギー政策と農業再建の重要性です。これをコロナ後の経済再生の基盤に据えて、日本経済再建の旋回基軸にすることが必要です。

筆者は、安倍第二次内閣が発足した直後に執筆した、小論「アベノミクスと『成長戦略』」（『月刊全労連』2014年1月号）のなかで、次のよ

うに述べたことがあります。

「日本経済は、小手先の『改良』政策では解決できない時代、民主的な変革の政策と戦略が求められる時代に入っている。そのためには、『原発ゼロ』へのエネルギー政策の転換、民主的な労働改革、中小企業の抜本的振興策、農業の再建、税・財政の民主的改革、日米安保優先の通商政策からの転換などが必要である」（同誌、22頁）。

こうした指摘は、コロナ後の2020年代には、いっそうあてはまるでしょう。

欧州や米国では、コロナ後の社会経済の再建をすすめるための政策構想として「グリーン・ニューディール」の運動が大きく発展し始めています。日本でも、「原発ゼロ・エネルギー転換戦略」を軸として経済政策の転換をすれば、日本経済の新たな発展の道が開かれるという具体的な提案が発表されています。この提案では、原発ゼロ・エネルギー転換戦略によって、次の試算のように雇用を大きく拡大し、安定した経済成長を達成できるとしています。

図6-4

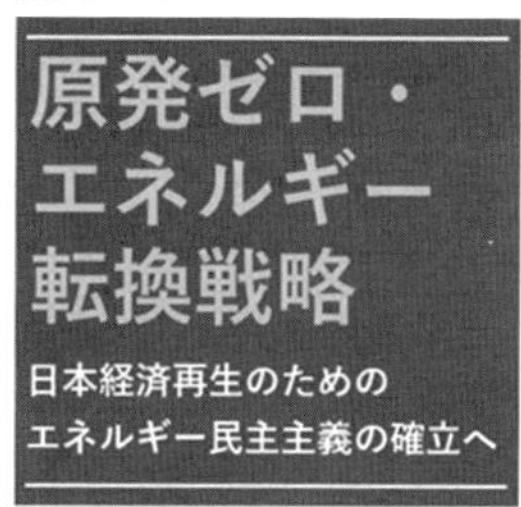

（出所）「原発ゼロ・エネルギー転換戦略」提案のロゴマーク

「原発ゼロ・エネルギー転換戦略による経済雇用効果：2050年までの累積設備投資額約250兆円、年間平均約8兆円。雇用増約80万人（人件費1000万円で単純計算）。これとは別に光熱費削減で浮いた分を各主体で投資または消費（貯蓄・内部留保以外）に回すことを考慮すると、2050年には25～30兆円の投資効果（2050年まで徐々に増加）、雇用増 数百万人」。※「原発ゼロ・エネルギー転換戦略」の全文は、（http://energytransition.jp/）で閲覧できます。

（2）地域に密着した自然エネルギー振興が産業発展の基盤になる

これから国民経済の発展基盤となり、こうした旋回基軸の役割を果たしうる産業部門は、巨大化し、グローバル化して世界市場に分散・進出しているグローバル企業が主に担ってきた産業分野ではありえないでしょう。これらの産業部門は、もちろんこれから先も国民経済の重要な産業部門として位置づける必要がありますが、新たな拡大再生産軌道を形成する旋回基軸とはいえません。

こうした旋回基軸となりうるのは、地域に密着して発展する太陽光、風力、地熱など、自然エネルギー・電力の産業です。エネルギー・電力産業は、食糧問題とともに、一国の資本蓄積・再生産活動の基盤を支える産業です。原発依存のエネルギー政策からの転換は、戦後日本の産業政策のあり方を根本的に見直すことでもあります。

環境問題とエネルギー問題は一体のものです。原発依存をやめながら「環境保全・低エネルギー社会」をめざすことは、従来の資本蓄積・再生産のあり方を、「人間と自然の正常な物質代謝の回復」という視点から根本的に反省することでもあります。日本の各地のそれぞれの自然や条件にあったエネルギーの産出、地域経済の再生、地域循環型の経済構造をつくることが必要です。

（3）中小企業と農業の振興で自然エネルギーへの転換を

原発ゼロ・自然エネルギーへの転換を担うのは、地域に密着した中小企業や農業です。その転換は、日本で420万にものぼる中小企業者・自営業者がカギを握っています。実際に自然エネルギーを実用化している各地の実例をみると、その主役はほとんど地元の中小企業です。自然エネルギーへの転換の主役を中小企業が担えるのには、客観的な理由があります。自然エネルギーの技術的基礎は、ＩＣＴ（情報通信技術）のパソコンなどと同じように、小規模･分散型で、地域密着型だからです。これは、まさに中小企業の得意な技術です。自然エネルギーの活用で世界をリードしているＥＵ（欧州連合）も、そのホームページで、こう述べています。――「再生可能エネルギーの技術は、本質的にローカルで小規模なので、中小企業にこそ適している」。

5．憲法にもとづく平和的・民主的な国づくりの課題

日本の場合は、現在の資本主義を民主的に変革するさいの政治的な基準は存在しています。それは現行の憲法です。憲法は、ただ経済問題だけの基準ではありません。それは、政治、経済、社会のあらゆる問題についての国家の規範を示しています。憲法の平和的民主的な条項を法制的にも、実態的にも、厳密に具体化することによって、日本資本主義は新しい発展の政治的な土台を固めることができます。

21世紀の日本経済の発展のためには、戦後70年余にわたって続いてきた対米従属路線から脱却し、憲法九条にもとづく真の平和外交、共存共栄の経済外交をアジアと世界で積極的に展開することが不可欠です。対米従属体制から脱却するには、最終的には日米安保条約を廃棄して、新たに日米友好条約を結ぶことが必要ですが、そのためには国民多数派の合意が必要です。

しかし、安保廃棄へいたる前にも、できること、なすべきことは、いろいろとあります。たとえば、次のような課題は、いま安保条約を支持・容認している人を含め、国民多数が望んでいることであり、安保廃棄の以前にも、日米交渉によって直ちに実現すべきことです。

○世界一危険な米軍基地・普天間基地の無条件・即時返還。同時に、辺野古の米軍基地建設を即時中止・原状回復。

○日米地位協定の抜本改定。世界に例のない米軍優遇の特権をなくす。全国知事会も抜本的見直しの提言を初めて全会一致で決議。

○原発ゼロ実現のために、日米原子力協定の廃棄。2018年に30年の満期を迎えた同協定は自動延長されたが、半年前に通告すれば廃棄可能。

○憲法違反の安保法制の廃棄。「戦争する国」づくりのための自衛隊の大軍拡路線を転換し、米軍への「思いやり予算」を撤廃。

○核兵器禁止条約への参加・批准は、日米交渉なしで、直ちに実現できる。

経済外交の面でも、安保廃棄の以前になすべきこと、実現できる課題は、いろいろとあります。

たとえば、通貨政策・為替政策の問題です。戦後日本では、日米安保条約にもとづく日米関係最優先の政治・外交路線のために、日本の円は、アメリカのドルの世界支配体制のもとで、長い間、自主的な通貨政策を事実上放棄してきました。そのために、アメリカの通貨政策に追随して、あるときは異常な円高、あるときは急激なドル高（円安）というように、たえず円レートは撹乱されてきました。円レートの安定をはかるには、なによりもまず通貨の自主権を確立して、投機マネーに撹乱されないように通貨価値の安定をはかることが必要です。

また、こうした日本の戦後の苦難の経験をもとに、アジア諸国の通貨体制の安定をはかることは、日本の使命といってもよいでしょう。アジア規模の通貨安定の制度的仕組みとして、現在のＩＭＦ（国際通貨基金）のような大国主導ではない、真に互恵的なアジア独自の通貨基金を創設するなど、積極的に通貨外交を展開することも、そのひとつでしょう。すでに2000年に日本が提唱してチェンマイ・イニシアティブ（金融危機時に外貨を融通し合う仕組み）が創設されていますが、中国の人民元の台頭という新しい通貨情勢も踏まえて、より広範な制度への発展が求められます。

コロナ後の世界秩序の再構築にあたって、いかなる軍事同盟にも属さず、憲法９条を国是とする日本資本主義の実現は、アジアと世界の平和にとってきわめて大きな存在となるでしょう。世界のなかでの日本の存在感は、日本歴史上かつてないものとなり、それは、人類史上も意義深いものになるに違いありません。

６．新しい国づくりを支える「長期経済計画」の課題

憲法にもとづく国づくりのめざす方向を簡潔に表現すれば、「新しい民主的な変革にもとづく社会体制（独立・平和・ジェンダー平等・福祉社会）

の実現」だといえるでしょう。

こうした憲法を基準とした国づくりを社会経済的な再建策によって裏付け、産業や企業、国民の仕事や暮らしが豊かに成長するようにする必要があります。そのためには、「新自由主義」的な「市場万能」ではなく、国家が責任をもって「長期経済計画」を策定することが不可欠です。

資本主義のもとでの経済計画は、国家的な経済目標とその優先順位を明らかにし、これを数量的に表し、この目標を達成するために必要な政策手段を体系化したものです。ちなみに、戦後の日本では、敗戦で崩壊した生産力を復活し、資本の蓄積軌道を再建するために、官民一体となって経済計画作りに力を入れました。そのために、日本は、かつては経済計画の策定では世界でもトップクラスのノウハウを保持していました。

民主的な経済計画は、資本主義のもとでの民主的政権によって民主的経済改革を推進するための総合的な政策体系です。それは、経済学的にも理論的に裏付けられています。――「国家独占資本主義のもとでの、大資本本位の政府の介入、誘導による国家独占資本主義的計画化とも、また主要な生産手段の社会的所有にもとづく社会主義的計画化とも異なった、資本主義のわく内での経済民主主義的計画化である」（日本共産党経済政策委員会『日本経済への提言』1977年6月、5頁）。

コロナ後の日本で必要な経済再生のための「長期経済計画」には、少なくとも、次のような改革課題が盛り込まれるべきでしょう。

○ジェンダー平等・福祉社会へ向けての社会経済構造の抜本的改革
○戦後日本資本主義の再生産構造の根本的転換（農業、エネルギー、グローバル化への対応）
○総合的な民主的労働改革――現段階の生産力発展を前提とした労働制度の民主的改革
○学術・文化・教育の民主的発展計画
○人間と自然の物質循環の正常な回復を実現する環境政策（気候変動や感染症の対策を含む）
○安保条約廃棄：自主的な対外政策（対米：対中関係）（多国籍企業

支配の国際経済秩序の改革を含む）
○日本経済再建のための総合的な財政再建計画（金融政策の民主的転換を含む）

補論　今日の日本資本主義の矛盾は層をなして重なっている

戦前から戦後にかけて170年の間に累積してきた日本資本主義のさまざまな矛盾のうち、とくに経済的な矛盾について言えば、各時期の経済発展のなかでなし崩しで解消されてきたものもありますが、そのなかには解決されないまま、長期にわたって層をなして重なってきたものもあります。別表は、それらの経済的矛盾を各層ごとに示したものです。

たとえば戦前以来の日本資本主義が抱え込んでいる矛盾としては、「慰安婦問題」に象徴されるように侵略戦争と植民地支配の決着がいまだになされていない、近隣諸国の人々の生命と人権を著しく侵害したことへの誠実な謝罪がいまだにおこなわれていない、という「歴史問題」があります。歴代の自公政権は、これらの課題に真摯にとりくむどころか、逆に首相をはじめ主要閣僚が相次いで靖国神社を参拝するなど、矛盾をいっそう拡大再生産してきました。

第二次大戦後の日本資本主義の構造を基本的に規定している日米軍事同盟は、沖縄県の普天間基地をはじめ日本全国の米軍基地問題を深刻化させ、安倍内閣の戦争法（安保法制）強行の根源になりました。また、対米従属体制は、原発・エネルギー、農業衰退、為替変動（円高）、地域不均衡（東京一極集中）、経済軍事化などなど、現代日本の政治・経済・文化の各領域の矛盾をつくり出しています。

表　日本資本主義170年の経済的矛盾は、幾重にも層をなして重なっている

<table>
<tr><th></th><th>期間</th><th>矛盾の根源</th><th>矛盾の諸現象</th></tr>
<tr><td>第Ⅰ層</td><td>1850年～
(170年)
資本主義的生産関係</td><td>本源的蓄積、
半封建的
土地所有</td><td>●搾取・収奪
失業(雇用不安)と貧困化
家父長制家族
女性差別
ジェンダー不平等</td></tr>
<tr><td>第Ⅱ層</td><td>1890年～1945年
(55年)
帝国主義・侵略戦争</td><td>天皇制国家
ファシズム、
金融資本・地主制</td><td>●アジア侵略
中国、朝鮮、東南アジア支配
侵略戦争</td></tr>
<tr><td colspan="4">1945～1955年ー戦後改革(民主的変革)
天皇制国家解体。
植民地解放。新憲法の制定。農地改革・財閥解体・労働改革等、戦前資本主義は基本的に解体された。しかし、矛盾は完全解消しないで残る。しかも、この時期に、アメリカ帝国主義に従属する国家体制が形成された。</td></tr>
<tr><td>第Ⅲ層</td><td>1945年～
(75年)
戦後日本の国際的条件</td><td>対米従属の国家
体制
日米安保条約</td><td>●原発・エネルギー、農業
為替変動(円高)
地域不均衡(東京一極集中)
経済軍事化</td></tr>
<tr><td>第Ⅳ層</td><td>1955年～90年
(35年)
資本蓄積・再生産様式</td><td>「高度成長」政策
(日本的ケインズ
主義）路線</td><td>●財政破綻、環境・公害
福祉破綻、出生率低下
インフレ・バブル
(ケインズ主義)</td></tr>
<tr><td>第Ⅴ層</td><td>1990年～
(30年～)
資本蓄積・再生産様式</td><td>多国籍企業化
「新自由主義」
路線・経営</td><td>●産業空洞化
中小企業・小企業危機
デフレ(消費不況)
格差・貧困</td></tr>
<tr><td rowspan="2">第Ⅵ層</td><td>2013年～20年
(8年～)
「アベノミクス」路線</td><td>リフレ政策
「新自由主義」
路線の強行</td><td>●金融バブル
新自由主義強化
経済軍事化
人口減少(労働力不足)</td></tr>
<tr><td>(今後）2020年代～</td><td>コロナ禍。
「アベノミクス」
の大破綻</td><td>●コロナ・パンデミック
財政・金融危機
スタグフレーション
貧困と格差、雇用危機
自然災害、環境危機
エネルギー危機
農業危機、人口減少</td></tr>
</table>

(出所）拙著『「資本論」を読むための年表』学習の友社、2017年、71頁の表を改定し作成。

1955年以降の「高度経済成長」時代に形成された財界・大企業本位の資本蓄積様式を支えてきた財政・金融政策は、巨額な国家債務（財政赤字）を累積してきました。それは、歴代政権の「財政再建」の掛け声にもかかわらず、雪だるまのように膨れ上がる一方です。

また1970年代には、出生率の低下がはじまり、その後40数年にわたって「少子化」の流れにストップをかけることができなかったために、日本社会はすでに「人口減少モメンタム」時代（※）に入っており、21世紀の中葉にいたるまで、かなり急速な人口減少を避けられなくなっています。

（※）「人口モメンタム（慣性・惰性）」とは、出生率の変動と人口構成の変動（人口の増減）との間にあるタイムラグによって生ずる人口変動の特質のこと。「人口減少モメンタム」時代には、出生率が人口置換水準を上回っても、人口減少の流れを反転させるには今後数十年が必要になる。

さらに1990年代以降は、「新自由主義」イデオロギーにもとづく「構造改革」路線、大企業の「新自由主義型経営」が推進されるようになり、貧困と格差、雇用危機、財政破綻、原発とエネルギー危機、環境危機と気候悪化などなど、さまざまな矛盾が噴き出すようになっています。

このように、現代日本資本主義の矛盾は、戦前、戦後の170年余にわたる日本資本主義の歴史的経過のなかで解決できなかった矛盾が幾重にも層をなしており、自公政権の政治・経済路線は、そうした矛盾をますます拡大・内訌（ないこう）させています。

【コラム❻】

疫学４学会の要望書 とＧ－ＭＩＳ（ジーミス）、ＨＥＲ－ＳＹＳ（ハーシス）

日本には疫学に関する学会が多数あります。日本疫学会、日本公衆衛生学会、日本感染症学会、日本環境感染学会などです。これらの４学会が、コロナ禍がはじまってから、2020年７月２日に、政府にたいして４学会の理事長連名で「感染症対策のためのデータ収集システムの構築と利活用に関する要望書」を提出しました。

４学会の要望書では、これまで「感染者数のみならず、クラスター対策のために患者の感染経路、濃厚接触者の特定と管理、中等症・重症患者の適切な管理のために病院・病床の占有状況の把握や連携体制の構築など、求められる情報」などが 、「一元的に、迅速かつ有効に収集されたとは言い難い」と指摘しています。そのうえで、次のように述べています。

「現在、厚生労働省において新型コロナウイルス感染症医療機関等情報支援システム（Ｇ－ＭＩＳ）、新型コロナウイルス感染者等情報把握･管理支援システム（ＨＥＲ－ＳＹＳ）の運用が始まっていますが、登録、利用いずれの面からもまだ十分に使われるには至っていません」。

こうした現状を打開するために、要望書は、次の２点をあげています。

「1.保健所、医療機関、行政機関等の現場の負担を軽減するとともに､各部署の担当者が正確な情報を収集し､タイムリーに共有できるシステムを、現場の声を反映する形で構築すること。

２．構築されたシステムで収集された情報を解析し、迅速かつ効果的に各部署での対策に還元するための、データの利活用を実現すること。」

４学会の要望書でとりあげているＧ－ＭＩＳ（ジーミス）、ＨＥＲ－ＳＹＳ（ハーシス）とは、いずれも、厚労省が設置しているシステムです。

Ｇ－ＭＩＳは、(Gathering Medical Information System on COVID-19）の略称です。日本語で言えば、「新型コロナウイルス感染症医療機関等情報支援システム」です。

ＨＥＲ－ＳＹＳは、(Health Center Real-time information-sharing System on COVID-19）の略称です。日本語で言えば、「新型コロナウイルス感染者等情報把握・管理支援システム」です。

４学会の要望書が指摘し、また本書の【コラム❸】（70頁）でも述べたように、厚労省の感染症医療情報システムは、有効に機能していないようです。自公政権のもとで、これまで感染症対策を軽視してきたことの結果だといえるでしょう。

第7章

コロナ後の労働運動への期待

先にみたように、コロナ後の日本社会の新たな課題にたいして、菅政権も財界・大企業も、新しい時代に対応できずに、すでに破綻した「新自由主義」路線の焼き直し、その延長・拡大を、デジタル化をかかげながら、がむしゃらに強行しようとしています。こうした破綻した路線を強行すれば、2020年代の日本社会をますます混乱・疲弊のふちに追いやることになるのは明らかです。

根本的な政策の転換を求める国民的な闘いが必要になっています。社会変革の目標をかかげての攻勢的な闘い —— これはもちろん、ひとり労働者、労働運動だけでできることではありません。

しかし、労働運動のあり方が、国民的な運動の大きなカギを握っています。

そこで、一経済研究者の立場から、コロナ後の労働運動への期待について、若干の私見を提起してみたいと思います。

ここでは、さまざまな課題のなかから、次の5点に絞って問題提起しておきましょう。

1．医療、介護、保育、教育、雇用を守るため、働くすべての人の防波堤に

コロナ禍が進行するとともに、社会のもっとも弱い立場の人たちの窮状が日増しに広がっています。いわゆるコロナ切り、数万、数十万の非正規の雇止めが始まっています。

労働組合運動にたいする国民の期待は、今後、高まるでしょう。働くすべての人々の生活防衛の防波堤として、労働組合という組織のもつ底力を、ぜひ発揮していただきたいと期待します。

（1）医療、介護、保育、教育、などの分野で働く労働者、エッセンシャル・ワーカーに格別の支援・励ましを

コロナ禍は、あらゆる分野の働く人びとに一様に困難をもたらしていますが、とりわけ対人関係のケア労働の職場で働く場合には、いわば「3密」に直接かかわるために、その肉体的、精神的な苦労は想像以上のものがあります。なかでも感染症の患者と直接ふれあう医療現場では、通常以上の過重な負担がかかっています。

こうした職場で働く人たち、エッシェンシャル・ワーカーへは、物心両面からの格別の支援・励ましが必要です。当然、公的な補償も迅速におこなうことが求められます。労働組合運動は、こうした全体の流れを促進するために、その組織的な力量を発揮することが期待されます。

（2）「隠蔽された雇用」に適正な労働法制による権利を

コロナ後に新しく増えてくることが懸念されるのは、いわゆるディスガイズド（disguised）・エンプロイメント（「隠蔽された雇用」、「偽装された雇用」）の問題です。たとえば、料理などの宅配業、コンビニの雇われオーナー、美容師や理容師、音楽などの実演家など、いわゆる「名ばかり個人事業主」、フリーランサーと言われる人たちです。実際には会社や契約先の指示通りに働きながら、形式的に「雇用関係ではない」

という理由で、賃金、労働時間、労働災害など、労働者としての保護から排除されています。

コロナ後には、デジタル化による「働き方改革フェーズⅡ」の名で、こうしたディスガイズド・エンプロイメントがいっそう広がる懸念があります。国際基準からみても明らかな「偽装雇用」にたいして闘うためには、労働組合がどうしても必要です。

労働組合が、こうした問題をとりあげないと、それこそ泣き寝入りになってしまいかねないからです。

2．最賃引き上げの運動のいっそうの発展を

ここ数年、最賃引き上げの運動、全国一律1,500円をかかげた運動が着実に発展しています。労働組合運動に直接のつながりのない人々の間でも、最賃1,500円のスローガンを耳にすることが多くなり、国民的な支持を得る条件が生まれつつあります。これは、労働組合運動の素晴らしい成果です。

（1）最賃引き上げはナショナルミニマム確立の基盤

全国一律最賃引き上げの闘いが重要なのは、この要求があらゆる労働条件改善の要、環をなすからです。どんな職種、どんな労働でも、1時間当たり最低1500円ということは、本質的に「同一労働同一賃金」の要求です。

全国一律最賃の要求は、まさに「職業に貴賤はなし」の立場に立っており、その意味では、「同一価値労働同一賃金」よりも、もっと進んだ要求です。

全国一律最賃引き上げの実現は、生活保護基準の引き上げ、最低年金保障、農産物価格保証、など他の分野の制度是正と連動することによって、国民的最低限生活保障（ナショナルミニマム）の確立の基盤となります。

（2）コロナ禍を口実に社会運動を抑え込む動きに抗して

2020年7月に開かれた中央最低賃金審議会（中賃審）では、「コロナによる雇用への影響」などを口実に、最賃の目安額の提示を見送りました。最賃引き上げの運動を、コロナ・ショックによる社会的混乱で断ち切られないように、むしろコロナ後の社会でこそ、いっそう発展させる必要があります。

この点では、2008／9年の世界的金融危機の後で、急速に全国的な規模で発展しつつあった「非正規切りに反撃する闘い」や「反貧困の運動」が、2011年3月の東日本大震災・原発事故の直後から、マスメディアを総動員した「日本は一つ」という大キャンペーンによって抑え込まれた苦い教訓を思い起こす必要があります。

3．21世紀の生産力の発展にふさわしい「民主的労働改革」をめざして

当面する新しい民主的な経済変革のなかでは、新たな「労働改革」が戦略的な意義をもっています。歴史をさかのぼると、かつてのブルジョア民主主義革命の場合は、土地改革――封建的土地所有制度の改革が基底になりました。

これにたいして、21世紀の新しい反独占の民主主義的な経済改革では、新たな「労働改革」――雇用、労働条件、労資関係のあり方、社会保障制度など、雇用や労働にかかわるルールを全体的に見直して、抜本的・総合的に是正・改革すること――が変革の基底になるでしょう。20世紀以降の生産力の発展は、新たな「民主的労働改革」によって雇用拡大、時短、賃上げ、福祉の拡充、男女差別の是正などを総合的に実現するための制度的基盤としての意味ももっています。

（1）ＩＣＴ（情報通信技術）革命のもとでのディーセント・ワークのための民主的労働法制

新たな「民主的労働改革」のための指針の１つは、ＩＬＯがかかげているディーセントワーク（働きがいのある人間らしい仕事）の目標です。多国籍企業を中心とするグローバリゼーションのもとで、格差と貧困、非正規雇用などの権利侵害が蔓延している事態に対抗して、ＩＬＯが提唱した「すべての労働者にディーセントワークを」の運動は、世界各国で取り組まれて、着実に発展しています。

コロナ・パンデミックのもとでの新しい情勢のもとでは、菅内閣・財界が推進しようとしているデジタル化が労働者･国民に何をもたらすか、決して軽視してはなりません。デジタル化による労働と労働者への影響、国民生活への影響について調査・研究することが必要です。

同時に、デジタル化の問題で留意すべきことは、菅内閣・財界のデジタル化政策を批判することに急なあまり、デジタル化それ自体を否定することになってはならないということです。デジタル技術そのものを否定して、単純な「ラダイト（機械打ちこわし）運動」的な立場に陥らないようにすることが大事です。そのためにも、先に第５章で紹介したILOの報告書『輝かしい未来と仕事』が、労働者にとってのデジタル化の積極的な可能性について指摘していることを見落としてはならないでしょう。

（2）多国籍企業（国際独占体）の横暴の民主的規制

現代の多国籍企業（国際独占体）は、従来の「完全雇用と福祉」で労働者・国民を統合する「福祉国家イデオロギー」に替えて、「新自由主義イデオロギー」（「自己責任論や国際競争力論」など）で国民を分断し、支配の維持を図ろうとしています。国際独占体の支配が野放しにされている国では、「福祉国家」の前提とする二つの柱――①完全雇用、②社会保障制度は、「新自由主義」路線の「構造改革」によって掘り崩され、「福祉国家」の危機が深まっています。

多国籍企業（国際独占体）の横暴な経営戦略を民主的に規制し、その経営戦略の背景になっている「新自由主義」イデオロギーとたたかうことが必要です。

４．若者と女性の力を引き出す労働運動を

21 世紀の社会運動は、若者と女性の力を引き出すことができなければ、発展できません。

（1）21 世紀を担う若者に開かれた運動に

コロナ後の社会を担う若者がコロナ禍による教育・文化の混乱の影響を受けて苦しんでいます。

コロナ禍の以前から、ＩＣＴ（情報通信技術）革命のもとで、文化・教育は、大きな影響を受けてきました。たとえば、自公政権は、ＩＴ「人材不足」が深刻化してきたため、あわてて小学校からのプログラミング教育の必修化を決めました。菅内閣のデジタル化の方針は、こうした動きにいっそう拍車をかけるでしょう。しかし、デジタル化を拙速なやり方で教育政策に持ち込むことは、ますます教育を荒廃させ、その犠牲を若者たちに背負わせることになります。

留意すべきことは、「新自由主義」イデオロギーが蔓延する時代に育った世代には、労働者の基本的権利や労働法制について、ほとんど無知な若者が多いことです。まさに労働組合の出番が来ています。

（2）ジェンダー平等社会をめざして

コロナ禍のもとで、休校・休園、介護サービス休業などのために、働く女性の家事・育児・介護の負担が増しています。配偶者などの暴力や虐待の深刻化・増加も懸念されています。国連女性機関（UN women）は、「ジェンダーの視点にたった対策は、社会のすべての構成員に良い結果をもたらす」と強調しています。

全労連のホームページには、コロナ問題に対応する【全労連女性部アピール】（４月 14 日付）が掲載されています。「新型コロナ対策にジェンダー視点を！ 女性の声を集めよう、声を上げよう、つながろう」という表題で、内容は、簡潔に、よく練り上げられたものです。

このアピールを読んで、筆者は、これは、「はたらく女性のみなさん」に呼びかけられたものではあるが、同時に、すべての働く人たち、とりわけ働く男性の諸君に呼びかけられたアピールであると思いました。「女性の力を引き出す」ということは、このような女性部のアピールを、ただ女性だけのものにせずに、むしろ男性の組合員、とくに男性の組合指導部が、しっかり身に着けて、日常の活動に具体化するということです。ちょっと、語弊がある言い方になるかもしれませんが、運動全体が「女性部」であるという意識を持たねばならない、そのように発想を根本的に変えなければならないのです。

ジュエンダー平等をめざす課題は、ただ女性の当面の要求であるというだけではありません。先に述べたように、憲法にもとづく新しい国づくりのめざす社会体制は、「独立・平和・ジュエンダー平等・福祉社会」です。それは、従来の「福祉社会」よりも、いちだんと進化・発展した「ジュエンダー平等・福祉社会」と性格づけられます。ジュエンダー平等の課題は、男女が共同して新しい社会をめざすことなのです。

５．長期的な政策構想めざす国民的運動のネットワークの中核に

欧州や米国では、コロナ後の社会経済の再建をすすめるための政策構想として「グリーン・ニューディール」の運動が大きく発展し始めています。

（１）「原発ゼロ・エネルギー転換戦略」を国民的運動で

日本でも、「原発ゼロ・エネルギー転換戦略」を軸として経済政策の

転換をすれば、日本経済の新たな発展の道が開かれるという具体的な提案が発表されています（第6章（4）参照)。こうしたエネルギー転換は、雇用を大きく拡大し、安定した経済成長を達成できるとしています。

「全国商工新聞」（全商連〔全国商工団体連合会〕の機関紙）では、自然エネルギーの特集企画をよく掲載しています。自営業者・中小業者が、地域でいろいろと工夫して、太陽光発電や風力発電など、自然エネルギーの開発をしています。自然エネルギーの開発は、小規模、少資本で取り組めるうえ、地域の農業再生、地場産業の再生とも結びついているからです。

ところが、残念ながら、こうした地域での運動に、労働組合の参加が少ないのです。全国の労働組合が、もっと本腰をいれて、長期的な視点で、地域での自然エネルギーや農業再生の問題に取り組むべきだと思われます。

先に第6章で述べたように、エネルギーと食料は、いつの時代でも再生産活動の基礎的条件であり、日本資本主義全体を国民本位に立て直す土台となるものです。

（2）政治・経済・社会の危機を打開する国民戦線が求められる時代が必ず来る

コロナ後の労働組合運動は、こうした長期的な目標をかかげた政策構想を実現する国民的運動のネットワークづくりの中核を担っていく必要があります。 もちろん経済と社会の全体的な政策構想は、ひとり労働組合だけではなく、国民全体の立場に立った革新政党が提案すべきことでしょう。しかし、現代社会の最大の階級勢力である労働組合運動は、全国民的課題を推進する責任を負っています。

コロナ・パンデミックは、日本資本主義と政府・財界・大企業にとって、かつてない危機をもたらしつつあります。そうであるだけに、労働者・国民への攻撃も厳しくなるでしょう。油断すれば、組織的に後退させられる懸念もあります。しかし、逆に、それは変革のチャンスをもつくりだします。日本資本主義の劣化がいちだんと進み、日本の政治・経済・社会の危機が深刻になればなるほど、それを打開するための広範な国民戦線が求められる時代が必ずやってくるでしょう。

コロナ・パンデミックは、労働組合運動の飛躍の時代をもたらす可能性があります。それは、長期的な視野に立って闘う場合にだけ、はじめて見えてくる可能性でしょう。長期的な視野をもって闘えば、必ず活路が開けるという確信と、冷静な分析力が求められています。

長期的な視野に立って冷静に状況を分析して、変革の契機・突破口を見出すこと —— 2020年代のコロナ後の時代は、まさに労働運動の真価が試される時代です。

【コラム❼】

コロナ対策とＡＩ（人工知能）

人工知能学会の機関誌『人工知能』(2020年９月号) が、特集「ＣＯＶＩＤ－１９への対応を支える人工知能技術」を組んでいます。この特集では、「新型コロナ禍において人工知能技術に関してどのような研究がなされ、それらがどのように利用され社会に貢献したか、その例をいくつか紹介する」として、次の５本の論文を掲載しています。

『人工知能』の表紙
2020年第５号：９月発行

① 「ＣＯＶＩＤ－19流行下におけるソーシャルメディア」

② 「ＣＯＶＩＤ－19とネットワーク」

③ 「新型コロナウイルス対策ダッシュボードで見えた課題と解決」

④ 「流動人口ビッグデータによる外出の自粛化の見える化」
⑤ 「感染症予防のための画像解析技術の導入事例：手洗い時間判定とマスク着用判定」

①と②は、ＣＯＶＩＤ－19に関する情報の正しさや人々の心理に与えた影響、ネットワーク科学によるコロナ対策への貢献、などについて分析した、かなり専門的な研究論文です。

③、④、⑤は、人工知能技術の実社会への応用に関する報告なので、一般の方にもたいへん興味深い論文です。

たとえば、④の「外出の自粛化の見える化」については、すでにＮＨＫがニュース報道で利用しており、ＮＨＫのＷｅｂサイト「特設新型コロナウイルス—全国の“自粛率”自治体ごとの変化は？」では、ネットで公表しています。

また⑤の「手洗い時間判定」については、次のように指摘しています。

「手洗い時間測定では、ユーザはコンピュータとＷｅｂカメラを用意することで、Ｗｅｂカメラで撮影された映像に映る人物が手洗いを行っているかを判定し手洗い時間を計測する。手洗い時間が不十分な場合はスクリーン上に表示される文字とスピーカからの音声によって十分な手洗いの実施が促される。このアプリケーションは、ＭａｃＯＳとWindows向けのスタンドアローンアプリケーションとして無償で提供している」(同誌、676頁)。

この特集ではとりあげられていませんが、ＣＯＶＩＤ－19にたいする医薬品のワクチン開発では、ＡＩは不可欠な研究手段となっています。

補章

パンデミックとマルクス、エンゲルス

第1章で見たように、人類は、歴史上なんども感染症のパンデミックを経験してきました。19世紀に生きたマルクスとエンゲルスも、その生涯でいくどかパンデミックに遭遇し、さまざまなことを考え、書き残しています。マルクスとエンゲルスは、疾病や感染症の大流行は、社会の底辺の貧しい人々を悲惨な状態に陥れ、さらに国民全体に大きな苦難をもたらすと指摘しています。こうした解明は、その後の公衆衛生体制の確立、工場法の保健条項の抜本的是正など、現実に社会進歩を促進する大きな契機になりました。現在のコロナ・パンデミックについて考えるうえでも、たいへん参考になります。そうした視点から、パンデミックとマルクス、エンゲルスの分析を発掘し、整理しておきましょう。

1．マルクス、エンゲルスとパンデミック（1）
——14世紀の黒死病・パンデミックについて

マルクスとエンゲルスは、歴史上の2つのパンデミックについて言及しています。１つは、14 世紀の黒死病・パンデミック、もう１つは、19 世紀のコレラ・パンデミックです。

※　以下の本章でのマルクス、エンゲルスの著作からの引用は、すべて大月書店の全集版による。『資本論』からの引用には原書（ディーツ社版全集）のページも付した。

（1）歴史的背景

ペストは、重症になって敗血症をきたすと皮下出血のために全身に暗紫色の斑点が現れ、皮膚が黒ずんでみえるので〈黒死病〉と呼ばれて恐れられてきた感染症です。

ペスト菌によっておこる感染は、伝染力がきわめて強いため、人類史上たびたび世界的な大流行：パンデミックを引き起こしてきました。とりわけ中世ヨーロッパ社会に深刻な影響を与えた 14 世紀の黒死病：パンデミックが知られています。1346 年クリミア半島の黒海沿岸に発生したとされていますが、翌年の 1347 年には、コンスタンティノープルに波及し、地中海貿易路にそっていっきょに西進しました。1348 年にはイタリア、フランス、イングランドへ広がり、急速な勢いでヨーロッパ内陸全体に広がっていきました。

図　補-1
14 世紀ヨーロッパへのペストの伝播

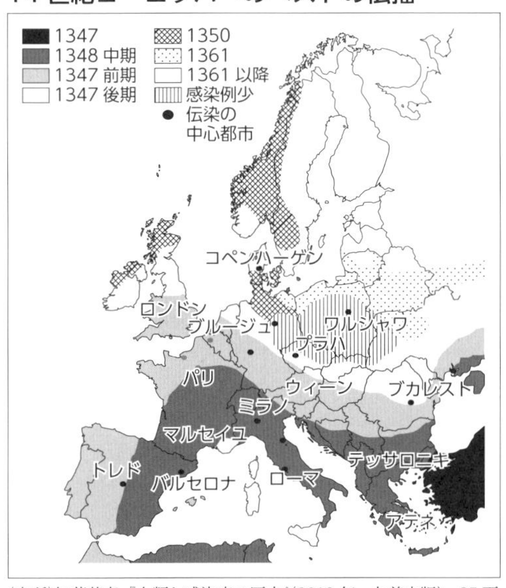

（出所）加藤茂孝『人類と感染症の歴史』（2013 年、丸善出版）、35 頁

この中世社会の黒死病・パンデミックは、世界全体で 7,500 万人、ヨーロッパだけでも人口の４分の１から３分の１（2,500 万人以上）の死者

という人口の大激減をもたらしました。こうした人口減少は、当時のヨーロッパの封建的農奴制度の基礎を脅かして、中世的な社会秩序の崩壊に拍車をかけ、近代の資本主義社会への移行をうながす要因の１つとなりました。

（2）マルクスの分析——『資本論』

筆者が調べた限りでは、マルクスは、『資本論』第１巻のなかで２回、中世のペストの大流行について言及しています。

１か所は、「第８章　労働日」のなかで、1349年にイングランドのエドワード三世の治下で立法化された最初の「労働者取締法」の目的について述べている部分です。

「標準労働日の制定は、資本家と労働者との何世紀にもわたる闘争の結果である。しかし、この闘争の歴史は、相反する二つの流れを示している。たとえば、現代のイギリスの工場立法を、一四世紀からずっと一八世紀の半ばに至るまでのイギリスの労働取締法と比較してみよ。現代の工場法が労働日を強制的に短縮するのに、以前の諸法令はそれを強制的に延長しようとする」（全集第23巻a、354頁、原書：286頁）。

「最初の『労働者取締法』〔“Statute of Labourers”〕（エドワード三世第二三年、一三四九年）は、その直接の口実（その原因ではない、というのは、この種の立法は口実がなくなっても何世紀も存続するのだから）をペストの大流行に見いだしたのであって、このペストは、トーリ党の一著述家の言うところでは、『労働者を適度な価格で』（すなわち彼らの雇い主に適度な量の剰余労働を残すような価格で）『労働につかせることの困難が実際に堪えられなくなった』ほどに、人口を減少させたのである。そこで、適度な労賃が、ちょうど労働日の限界と同じように、強制法によって命令された」（全集第23巻a、356頁、原書:287～288頁）。

少し回りくどい言い方ですが、要するにペストの大流行による人口減少によって農奴が不足して労賃が高騰するようになったので、賃金を低くおさえるための「労働者取締法」が立法化されたということです。その立法化にあたって、ペスト大流行による人口減少が「口実」にされたというわけです。

もう1か所は、「第23章　資本主義的蓄積の一般法則」のなかで、マルサスの人口論を批判しているところです。

「こうして、ここでは、正統派経済学にとって自説の確証のためにこれ以上にけっこうなものは望めないような一つの過程が、われわれの目の前で大規模に展開されているのである。すなわち、その説によれば、貧困は絶対的な人口過剰から生じ、人口の減少によって均衡が回復されるというのである。これは、マルサス派があのように賛美した一四世紀半ばごろのペストとはまったく別な一つの重要な実験なのである。ついでに言っておこう。一九世紀の生産関係とそれに対応する人口関係とに一四世紀の尺度をあてがうということは、それ自体学校教師的に素朴なことだったのであるが、なおそのうえに、この素朴さは次のことをも見落としてしまったのである。すなわち、かのペストと、それに伴って起きた人口の激減とに引き続いて、海峡のこちらがわのイングランドでは農村住民の解放と致富とが現われたとしても、海峡のあちらがわのフランスでは前よりももっとひどい隷属と貧困とが現われたということである」（全集第23巻b、919頁、原書：731頁）。

ここでのマルクスのマルサス批判は、マルサス派の「人口理論」が「もしほかに人口減退の原因がなく、またもし予防的妨げが非常に強くは働かないとすれば、あらゆる国は疑いもなく周期的なペストと飢饉とにおそわれることであろう」（マルサス『人口論』第二篇、吉田秀夫訳、春秋社、1948年、329頁）などという主張にたいするものです。こうしたペスト流行や大飢饉による人口の減少は、中世ヨーロッパで起こった歴史的事実でしたが、それをもって19世紀資本主義に適用して普遍的な「人口法則」とみなすことは根本的な間違いだという批判です。

マルクスが中世の黒死病・パンデミックに言及しているのは、上述の2か所だけです。

ところで、14世紀の黒死病・パンデミックが中世の封建社会から近世の資本主義的生産様式の形成にとって、どのような歴史的意味を持っていたのかという点については、いろいろな議論があります。一方では、黒死病によるヨーロッパの人口の激減は、農奴制の社会秩序、都市や村落、生活や習慣、学問や文化にも大きな変化をもたらし、宗教改革や農民一揆、ルネッサンスなどの背景となり、中世社会の崩壊を速めたという意見があります。他方では、そうした見方とは逆に、飢饉やペストによる人口減少は、結果的に過剰人口の圧力を減らして社会の持続的発展の契機になったというマルサス的な主張です。

村上陽一郎『ペスト大流行――ヨーロッパ中世の崩壊』（岩波新書、1983年）では、「荘園制度の変化が黒死病によってもたらされた、という歴史的因果関係を設定することは明らかに誤りである。しかし、黒死病の流行がこの変化の動きを決定的にしなかった、というのも明確に誤りである」と指摘したうえで、「労働者規制法」（労働者取締法）の歴史的役割について、次のように述べています。

「労賃の高騰への対策として、領主たちは、国王や議会を通じて、賃金凍結の法制化を要求した。1351年、イングランドで行なわれた労働者規制法（Ordinance of Labourers）はその典型例である。※

この法令では、土地を持たないすべての六十歳以下の男子は、黒死病発生直前の（1346年度の）賃金で雇傭される義務がある、ということを取り決めたものだった。物価の凍結もこれに倣った。しかし坂を転がり始めた時代の勢いを、一片の立法措置で食いとめるわけにはいかない。ほとんど効果を発揮しないこの法令に関連して、イングランドでは繰り返し、追いかけた法的対策がとられたが、それも無駄であった。

賃金労働者の発生をもって資本主義の発生と見做す、というのは昔懐かしい資本主義の定義だが、もしこれを正直にとるとすれば、黒死病は、少なくとも資本主義の発生に決定的なギアを入れたことになる。少なくともこうした法令の制定そのものが、中世の封建的荘園制度の自壊を示している、と言うことはできるだろう」（同書、162頁）。

この村上氏の主張は、マルクスが『資本論』で述べている「労働者取締法」の果たした歴史的役割を確認していると言ってもよいでしょう。

※ なお、マルクスが先の引用文で言及している1349年の労働者取締法 “Statute of Labourers” は、エドワード三世が発した布告ですが、村上氏の言及している1351年の労働者規制法 “Ordinance of Labourers” は、王の布告を議会で成文法として強化したものであり、内容は基本的に同じです。

2. マルクス、エンゲルスとパンデミック（2）
――19世紀のコレラ・パンデミックについて

（1）歴史的背景

コレラは、コレラ菌による経口感染による急性消化器系伝染病です。激しい下痢、嘔吐のため脱水状態に陥り、死亡率がひじょうに高くておそれられていました。コレラは元来インドのガンガー（ガンジス）川流域、とくに下ベンガル地域の風土病的性格の伝染病であったと言われていましたが、資本主義的世界市場の広がりとともに、中世の黒死病（ペスト）に代わって、19世紀以降は、しばしば世界的大流行（パンデミック）を引き起こしました。

とりわけ、イギリスがインドを植民地化して以降は、コレラ・パンデミックが第1次（1817年～24年）から第5次（1881年～1896年）まで、繰り返し世界を襲い、そのたびに多数の死者をだしました。

表 補-2 19世紀のコレラ：パンデミック

次	期間	内容
第1次	1817～1824	インド、中国、日本、東南アジア
第2次	1829～1837	コレラが世界的な流行病に
第3次	1840～1860	第1波：1840～1850 第2波：1849～1860
第4次	1863～1875	地理的には最大の流行
第5次	1881～1896	コッホによるコレラ菌の発見

イギリスのコレラ死亡者数

年度		イングランド・ウェールズ	スコットランド
第1回	1831	21,882	9,592
	1832		
第2回	1848	1,908	6,000～7,000
	1849	53,293	
第3回	1853	4,419	6,848
	1854	20,097	
第4回	1866	14,378	1,270

（注）見市雅俊『コレラの世界史』（1994年、晶文社）の14～15頁の資料を参考に筆者作成。

表補－2に示したように、世界的には19世紀に5次にわたるパンデミックが起こりましたが、そのうちイギリスには第2次から第4次まで4回にわたってコレラが流行し、14万人以上の死亡者が発生しました。マルクスとエンゲルスの生きた時代は、人びとはコレラの襲来にたえず脅かされていたのです。

ちなみに、第3次（1840～60）のコレラ・パンデミックは、日本にも波及し、1858年の〈安政コレラ〉の大流行は、日本疫病史でも最大の規模の1つとなっています。

（2）マルクスの分析：1853年の時事評論（植民地支配とコレラ流行の「温床」）

19世紀のコレラ・パンデミックは、マルクス、エンゲルスの生きた時代のことであり、二人ともさまざまな著作、書簡などで、たびたび言及しています。

とりわけ1850年代には、マルクスはニューヨーク・デイリー・トリビューン紙に掲載した時事評論のなかで、繰り返し当時の第3次コレラ・パンデミックについて言及しています。たとえば、1853年8月30日執筆の「穀物価格の騰貴――コレラ――ストライキ――海員の運動」（9月15日付）のなかでは、「先週、明らかにアジア・コレラの症例が二、三、ロンドンで発生した。コレラはいまやベルリンにもおよんだと聞いている」（全集第9巻、285頁）などと書いています。

マルクスは、こうした時事評論を通じて、コレラ・パンデミックがイギリスの植民地政策、インド支配の政治経済構造によって引き起こされたことを指摘しています。たとえば、1953年7月19日執筆の「戦争問題－議会情報－インド」（8月5日付）では、こう述べています。

「ザミーンダーリー土地保有制、ライーヤトワーリー、塩税、これらこそ、インドの気候とあいまって、インドからおしよせてきて西欧世界を荒らしまわったあのコレラの温床であった。人間の苦難が人間の悪行と結びついていることを示す、痛烈な、きびしい実例である」（全集第

9巻、212頁、訳文は一部変えてある)。

ここで「ザミーンダーリー」とは、「現地民の徴税請負人」のことであり、「ザミーンダーリー土地保有制」とは、イギリスがインド支配のためにイギリスの地主制度を導入したものでした。また、「ライーヤトワーリー」とは、フランスの農民的土地所有制度を導入したものでした。マルクスは、こう批判しています。――「どちらの制度も、はなはだしく矛盾した性格を結びつけており、ともに破滅的なものであった。――どちらの制度も、土地を耕す人々のためでも、土地の所有者のためでもなくて、土地に課税する政府の利益のためにつくられたのであった」。こうしたイギリスの植民地支配のための上からの「土地改革」によって、インド住民は「ひどい窮乏に陥れられてしまった」のでした(全集第9巻、210~212頁)。

土地制度に加えて、イギリスがインド国民に課した塩の専売制による収奪が重圧となりました。

「われわれは、地税とともに塩税をも考察しなければならない。会社がこの品目の専売権をにぎっていて、その市場価格の三倍の価格で売っていることは、だれ知らぬ者もない―― しかも塩が海からも、湖からも、山からも、土地そのものからさえ産出される国で、こういう状態なのだ」(同、211頁)。

(※) ちなみに、インドの独立闘争の過程で、マハトマ・ガンジーが「塩の行進」のたたかいを繰り広げたことはよく知られている。「塩の行進」(Salt March) とは、1930年にガンジーたちがイギリス植民地政府による塩の専売に反対し、グジャラート州のアフマダーバードから同州南部のダーンディー海岸までの約386kmを行進した抗議行動のことである。この約1か月にわたる「塩の行進」は、イギリスからの独立めざすインド国民を大きく励ますたたかいとなった。

マルクスは、こうしたイギリスのインドにたいする植民地支配、東南アジア進出こそが、「インドの気候とあいまって」、コレラ・パンデミックの「温床」だと糾弾したのです。そこに、当時のコレラ・パンデミックを「人間の苦難が人間の悪行と結びついていることを示す、痛烈な、きびしい実例」とみる社会科学的な分析、イギリス帝国主義批判の視点が示されています。

（3）エンゲルスの分析―― コレラ流行と都市の公衆衛生問題

エンゲルスが24歳の時に出版した『イギリスにおける労働者階級の状態』（初版、1845年）は、科学的社会主義の経済学や労働問題にとっての不朽の古典として知られています。同時に、その中には当時のヨーロッパ世界を襲ったコレラの大流行のことが詳細に描かれています。

イギリスの産業革命の中心都市だったマンチェスターは、労働者の家族がトイレもない狭い住居へ詰め込まれ、上下水道のない深刻な非衛生都市に陥っていました。エンゲルスは、こうした産業革命によって資本主義が急速に発展するなかで、労働者階級がいかに搾取・収奪され、劣悪な労働条件、生活環境に貶められたか、激しい怒りをこめて詳細に描いています。生活環境、貧困の実態、劣悪な公衆衛生環境こそ、コレラの大流行を招いたのだと、怒りを込めて告発しています。

とりわけ、前半の「大都市」の章では、100頁近くにわたって、産業革命のもとでの搾取強化と、大都市の劣悪な生活環境が労働者の心身をむしばみ、疾病、疫病が蔓延している様子を描いています。すべて引用すれば、おそらく数十ページになりますから、ここでは、一か所に絞って引用しておきましょう。

「おびただしい汚物、廃物、胸のむかつくような糞便が、よどんだ水たまりのあいだに、いたるところに散在している。あたりの空気は、これらのものから発散するガスによって汚染され、一ダースもの工場の煙突からでる煤煙によってくもらされ、重苦しくされている……。……せいぜい二つの部屋と、屋根裏部屋と、おそらく地下室がもう一室しかないこれらの小屋に、それぞれ平均二〇人の人間が住んでいること、この全地区に約一二〇人につきただ一つの―― もちろん、たいていはまったく寄りつきにくい―― 便所しかないということ、そして医者たちのあらゆる説教にもかかわらず、コレラの流行時に衛生警察が小アイルランドの状態について大騒ぎをしたにもかかわらず、それでもなお、いっさいが、西暦一八四四年の今日でも、一八三一年の当時とほとんど同じ状態にある、ということを聞くときには、いったいなんといったらいいのであろうか？」(全集第2巻、290頁)。

産業革命の中心都市であったこうしたマンチェスターの都市環境は、エンゲルスの摘発のころから大きく動き始めることになります。この点についても、エンゲルスは次のように書いています。

「さきに私はマンチェスターでコレラが流行したときに衛生警察のくりひろげた異常な活動についてはすでに述べた。すなわち、この伝染病の危険がさし迫ってきたときに、一般的な恐怖がこの町のブルジョアジーを襲った。急に貧民の不健康な住宅のことが思いだされ、これらの貧民街はどれもこれも流行病の中心となり、流行病はここからあらゆる方向にむかって荒廃の魔の手をひろげ、ついには有産階級の居住地にまでおよんでくるにちがいない、と考えておそれおののいた。すぐさま衛生委員会が任命され、これらの地区を調査し、その状態にかんする詳細な報告を市会に提出させることになった」(全集第2巻、294頁)。

こうしたエンゲルスの社会批判は、その後のマンチェスターの環境整備において、ひじょうに大きな役割をはたしました。エンゲルス自身、同書を執筆してから約47年後の「ドイツ語第2版への序文」(1892年)のなかで、次のように述べています。

「コレラ、チフス、天然痘、その他の伝染病のたびかさなる襲来は、イギリスのブルジョアにたいして、もしも自分が家族とともにこれらの疫病の犠牲となってたおれたくないならば、自分の都市を健康的にすることが緊急の必要事であると教えこんだ」(同、324頁)。

21世紀の今日でも、マンチェスター市を訪問すると、街のあちこちにエンゲルスの足跡が残されていることに気が付きます。世界的に有名な「マンチェスター科学産業博物館」には、マンチェスター市の都市環境と労働者・住民の生活を改善するのに貢献した功労者として、エンゲルスの肖像画と経歴がかかげられています。

3．マルクス、エンゲルスと疾病問題
―― 資本主義的搾取制度と工場法（保健条項など）

マルクスとエンゲルスは、生涯にわたって、疾病や疫病がもたらす労働者階級に及ぼす影響、社会制度に与える影響について関心を持ち、さまざまな著作や論文で論究しています（付表Ⅱを参照）。すでにマンチェスターの公衆衛生とのかかわりでエンゲルスの労作『イギリスにおける労働者階級の状態』については述べましたが、同書では、コレラの流行にかかわらず、工場でも、住居でも、恒常的に労働者が命をすり減らし、寿命を縮める状態に置かれている実態を詳細にとりあげています。

「この子供たちのふつうの病気はつぎのとおりである。一般的な虚弱、たびたびの失神、頭・横腹・背中・腰の疼痛、心悸亢進、吐き気、嘔吐と食欲減退、脊椎の彎曲、るいれきおよび肺結核、ことに、女性の身体の健康は、たえまなく、そしてはなはだしくそこなわれる。貧血症、難産および流産についての訴えは一般的であった」（全集第２巻、426頁）。

「工場労働者は、このような退屈さのなかで、その肉体的および精神的力を完全に腐朽させてしまうように運命づけられているのだ。……工場に生き埋めにされるというこののろい、休みなく動く機械をたえず注意しなければならないというこののろいは、労働者にとっては、このうえなくひどい拷問に感じられる。こののろいはまた、労働者の肉体と同じように、その精神もまた極度に鈍感にする作用をする。実際、人間を愚鈍にするには、工場労働よりよい方法は見つからない。それにもかかわらず、もしも工場労働者が自分の知性を救いだしたばかりでなく、その知性をほかの労働者より以上に完成し、鋭くしたとすれば、これもまた自分の運命とブルジョアジーとにたいする反逆によってはじめて可能となったのである―― この反逆こそ、工場労働者がとにかく仕事のあい

だに考え感じることのできたただ一つのものであった」(全集第2巻、409～410頁)。

エンゲルスは、資本主義的搾取制度がいかに労働者の健康を破壊し、労働者の命を縮めるかという点について詳しく述べています。

「多くの者は年若くして奔馬性結核で死亡し、またたいていの者は、働きざかりに長期の肺病で死んでしまうこと。……医者の陳述によれば、大多数の者は四〇歳から五〇歳のあいだに死亡する。この地域の公式名簿に死亡登記がされていて、その平均死亡年齢が四五歳になる鉱夫七九人のうち三七人は肺結核、六人は喘息で死んでいる」(全集第2巻、476～477頁)。

マルクスは、『資本論』のなかで、大工業の発端から1845年までの時期は、エンゲルスの『イギリスにおける労働者階級の状態』が素晴らしく正確に描いているので、それを参照せよと指示したうえで、「エンゲルスが資本主義的生産様式の精神をどんなに深くつかんだか」、「彼が事態の詳細をどんなに感嘆に値するやり方で描いたか」は、政府の公式の報告書と比べると、一目瞭然だと述べています(全集第23巻a、312頁)。

マルクスは、工場法のなかの「保健条項」が労働者の健康を守るためには、いかに不十分なものであるか、厳しく指摘しています。

「保健条項は、その用語法が資本家のためにその回避を容易にしていることは別としても、まったく貧弱なもので、実際には、壁を白くすることやその他いくつかの清潔維持法や換気や危険な機械にたいする保護などに関する規定に限られている」。「資本主義的生産様式にたいしては最も簡単な清潔保健設備でさえも国家の側から強制法によって押しつけられなければならないということ、これほどよくこの生産様式を特徴づけうるものがあろうか？」。「それと同時に、工場法のこの部分は、資本主義的生産様式はその本質上ある一定の点を越えてはどんな合理的改良をも許さないものだということを、的確に示している。繰り返し述べたように、イギリスの医師たちは、一様に、継続的な作業の場合には一人当たり五〇〇立方フィートの空間がどうにか不足のない最小限だと言っている。……それゆえ、この五〇〇立方フィートの空気ということになると、工場立法も息切れがしてくるのである。保健関係当局も、もろもろの産業調査委員会も、工場監督官たちも、五〇〇立方フィートの必要を、そしてそれを資本に強要することの不可能を、いくたびとなく繰り返す。こうして、彼らは、実際には、労働者の肺結核やその他の肺病が資本の一つの生活条件であることを宣言しているのである」(全集第23巻a、627～628頁、原書、505～506頁)。

4．産業革命の発祥地：マンチェスターとマルクス、エンゲルス

マンチェスターの街を歩くと、同市の歴史をつくった人々を描いた大きな壁画が描かれていますが、そこでもマルクスとエンゲルスが紹介されています。ＮＨＫの「世界ふれあい街歩き」というドキュメンタリー番組があり、かつて「マンチェスター」をとりあげたことがあります（ＮＨＫ（2014年2月11日放送：―― 2016年6月14日に再放送)。この番組の中で、街中の「壁画」のことがとりあげられ、マルクスとエンゲルスが描かれていることも話題にしていました。この中で、たまたま通りかかった一般の市民が、「マルクス、エンゲルスはマンチェスターの労働環境を研究した」と解説するのを見て、筆者も、マンチェスターを訪問した際には、この壁画をぜひ写真に収めたいものだと思いました。そのご、2015年9月にマンチェスターを訪問した際に、この目で壁画のマルクスとエンゲルスを確かめて、いたく感動しました。

（ＮＨＫの番組は、146～147頁を参照。）

玉川寛治氏によると、同氏がかつてマンチェスター市を訪問したさいに、同市の公認観光ガイドの女性は、ツアーの資料に『イギリスにおける労働者階級の状態』の抜粋を資料として配ったそうです。玉川氏が持参した日本語訳を見せたら、そのガイドさんは、「感嘆の声をあげ、『日

マンチェスターの市中のマルクス、エンゲルスの壁画 通りすがりの人に尋ねると…

NHK：TV「世界ふれあい街歩き：マンチェスター」(2014年2月11日放送）より

番組のなかで、たまたま歩いていた一般市民が、マルクスとエンゲルスのことを的確に解説していることに、感動しました。マンチェスターでは、これは市民の常識になっているほど、よく知られたことなのでしょう。

④
マンチェスターの歴史と
ゆかりある人たちが描かれてるんだ
⑤
マルクスとエンゲルスは
ドイツ人だけど
⑥
産業革命時代に この街の
労働環境を研究したんだ

本人のジェントルマンが日本訳を持って参加している』と参加者に紹介してくれた」と言います。玉川氏は著書のなかで、「解散のあいさつでガイドは『河がこんなに美しくなり、マンチェスターが現在のような良好な衛生状態と環境を維持しているのは、若きドイツ人、エンゲルスの社会批判に負うところが大きい』と結んだ。たいへん印象的だった」と書いています（同氏著『「資本論」と産業革命の時代』、1998年、新日本出版社、176頁）。

マンチェスター市の市民にとって、マルクスとエンゲルスは功労者として記憶されていますが、逆に、マルクスとエンゲルにとっても、マンチェスターは、たいへん忘れがたき街だったようです。筆者は、マンチェスター市を訪問した際の見聞をもとに、マンチェスター時代のマルクス、エンゲルスについて、『経済』誌に小文を書いたことがあります。――拙稿「イギリス『資本論』紀行――チェタム図書館のマルクスの机」（2019年４月号）。

ちなみに、マンチェスターは、チャーチストやオウエン主義者の聖地であり、マルクスとエンゲルスは、ここで、労働運動の活動家たちと知り合い、交流したと言われます。今でも、マンチェスターは労働党の牙城であり、また女性議員も多いと言われます。

マンチェスターは、日本以外の世界で最初の非核都市宣言をおこなった国際平和運動の街としても知られています。市庁舎には、そのことを示す標章が正面玄関にかかげられています。

さらにまた、マンチェスターはサッカーの発祥地でもあり、イギリスの国立サッカー博物館もマンチェスターにあります。プロサッカーの強豪クラブチーム：マンチェスター・ユナイテッドは、産業革命と工場法のもとで、鉄道労働者の余暇のアマ・チームが発展したものです。

【コラム❽】
コレラ流行とマルクス、エンゲルスの書簡

【コラム❶】でも触れたように、マルクスが暮らしていた19世紀のロンドンは、何度もコレラ流行に襲われました。マルクスとエンゲルスは、往復書簡のなかで、たびたびコレラのことをとりあげています。

マルクス·エンゲルス全集で調べると、26通もあります(第3者への手紙も含む)。その中には、マルクス自身とマルクス夫人もコレラに罹ったという文言や、マルクスの孫がコレラで亡くなったという悲しい知らせもあります。

主なもの10通を選んで、コレラ関連の部分だけ引用しておきます。

❶1849年9月5日　マルクスからフェルディナント・フライリヒラートへ　(全集第27巻、437頁)

「私は4、5日来コレラの一種にかかり、ひどく疲れているので、君には数行しか書けない」。

❷1853年9月15日　マルクスからクルスへ
(全集第28巻、480頁)

「今日のところは簡単にしておく。別に変ったこともない。ただコレラがロンドンに入った」。

❸1854年9月13日　マルクスからエンゲルスへ
(全集第28巻、15頁)

「この瞬間には、無1文であること ―― 家族の必需品がたえず欠かせないということは別として ―― のほうが、ソーホーがコレラに選ばれた地区であることよりもいやだ。ここで

は民衆はいたるところでくたばっていくが（たとえば、ブロード・ストリートでは家屋毎に３人）、この災厄を防ぐのにいちばんいいのは『食糧』なのだ」。

❹ 1854 年 9 月 22 日　マルクスからエンゲルスへ
（全集第 28 巻、316 頁）

「コレラは最近目立って下火になりつつあるが、われわれの区では猖獗をきわめた。それは 6、7、8 月につくられた下水道が、1668 年（？ と思う）の疫病の死者を埋めた墓地をとおって掘られたからだと言われている」。

※　この手紙については、【コラム❶】でとりあげた（本書 29 頁）ので、参照してください。

❺ 1859 年 7 月 22 日　マルクスからエンゲルスへ
（全集第 29 巻、361 頁）

「今週、僕は計画どおりに事を運ぶことができなかった、暑さのために一種のコレラにやられたからだ。朝から晩まで吐いていた。きょうはまた書けるようになって…」

❻ 1864 年 8 月 31 日　マルクスからエンゲルスへ
（全集第 30 巻、333 頁）

「きょうで僕がラムズギットから帰ってからちょうど三週間になる。オランダ旅行はだめになった。というのは、叔父の家の女中が突然天然痘にかかったからだ。妻は先週擬コレラのひどい発作を起こして、一時は危篤になりそうだった。彼女はきのう（ひとりで）ブライトンに旅立った」。

❼ 1872 年 5 月 3 日　ジェニー・マルクス（娘）からクーゲルマン（在ハノーファー）へ

（全集第 33 巻、582 頁）

「スペインから非常に悲しいニュースが届きました。私たちのかわいそうな小さいシュナップスの容態がとてもとても悪いのです。この子は去年の秋におそろしいコレラにかかってから回復していないのです。しだいしだいによわっていくのです」。

❽ 1874 年 8 月 4 日　マルクスからゾルゲへ
（全集第 33 巻、519 頁）

「1 週間まえひどい不幸がわれわれを襲った。ジェニー（ロンゲ夫人）の 11 か月になる赤ん坊が死んだのだ。とてもかわいい子だった。おそろしい軽症コレラが彼の命とりになった」。

❾ 1882 年 5 月 20 日　マルクスからエンゲルスへ
（全集第 35 巻、51 頁）

「ドクトル・クーネマンに会ってからもっとくわしいことを君に知らせよう、と。この出会いは 5 月 8 日におこなわれた。彼は科学的な（医学的な）教養を身につけたエルザス人だ。たとえば、君の手紙を受け取るよりまえに、細菌についてのドクトル・コッホの説を教えてくれた。たいへん多くの患者をかかえている男だ。1848 年にはシュトラスブルク大学の学生だったのだから、年齢は少なくとも 52–54 歳だ」。

❿ 1893 年 2 月 9 日　エンゲルスからベーベルへ
（全集第 39 巻、26 頁）

「コレラで国境が閉鎖されていたあいだ、だれも国境を越えることは許されなかったが、シュバツェック氏夫妻と、もうひとりスパイ行為の嫌疑のかかっているロシアの官吏Ｈ－ｎとは、自由にケーニヒスベルクへ旅行することができた」。

コラム❽　コレラを話題にしたマルクス、エンゲルスの書簡一覧

通し番号	引用番号	収録巻	頁	年月日	執筆者	宛先	内容（網掛けの手紙は重要なもの）
1		27	124	1849年6月7日	M	E	パリではコレラが大流行
2	❶	27	437	1849年9月5日	M	※1	マルクスが「コレラの一種」に罹る
4	❷	28	480	1853年9月15日	M	クルス	コレラがロンドンに
3		28	312	1854年8月26日	M	E	ミーケルがコレラに
6	❸	28	315	1854年9月13日	M	E	ソーホーはコレラに選ばれた地区
7		28	316	1854年9月13日	M	E	印刷業者マガワンがコレラで死去
8	❹	28	316	1854年9月22日	M	E	ソーホーのコレラ、猖獗を極める 下水道が原因との説
5		28	314	1854年9月2日	M	E	ミーケルが二度コレラに
9		28	345	1855年1月31日	M	E	コレラと「衛生局」に独立の長官設置
10		29	144	1857年9月21日	E	M	コレラとインドの戦闘
12		29	495	1859年11月22日	M	ラサール	コレラのための避難
11	❺	29	361	1859年7月22日	M	E	マルクスが「コレラの一種」に罹る
13	❻	30	333	1864年8月31日	M	E	マルクス夫人、疑似コレラに罹り一時危篤に
14		31	205	1866年8月6日	E	M	ロンドンのコレラ。 ドクター・ハンターの衛生局報告書
15		32	111	1868年8月21日	M	E	コレラからの避難
16	❼	33	582	1872年5月3日	※2	クーゲルマン	シュナップス（※3）がコレラに
17	❽	33	519	1874年8月4日	M	ゾルゲ	ジェニーの赤ん坊がコレラで死亡
18	❾	35	51	1882年5月20日	M	E	クーネマンからコッホの細菌説を聞いたこと
19		36	174	1884年8月6日	E	ラウラ	パリとコレラ
20		37	259	1889年10月29日	E	リープトネヒト	ゴットシャルクがコレラで死んだ
25		38	438	1892年10月半ば	E	ポニエ	ロシアとコレラと戦争
21		38	355	1892年7月22日	E	ラファルグ	ロシアとコレラ。平和
22		38	377	1892年8月20日	E	ベーベル	ロシアとコレラ
23		38	404	1892年9月17日	E	ベルンシュタイン	エーヴリングのコレラ論文
24		38	406	1892年9月17日	E	ラファルグ	ベルリン、マルセイユでコレラ流行
26	❿	39	26	1893年2月9日	E	ベーベル	コレラで国境が閉鎖

※1＝フェルディナント・フライリヒラート（マルクスの友人、革命的詩人）
※2＝ジェニー・マルクス（マルクスの長女）
※3＝シュナップスは、ラウラ・ラファルグ（マルクスの次女）の男の子、マルクスの孫
（資料　筆者作成）

あとがき —— 本書の執筆にいたるまで

（1）新型コロナ・パンデミックが世界中を震撼させてきた2020年は、コロナ禍をめぐって、さまざまな情報が、マスメディアを通じて連日のように溢れかえりました。さまざまな分野の有識者が、それぞれの学識をかたむて、コロナ・パンデミックにたいする考え方、コレラ後の社会ついての未来構想を語ってきました。

こうした洪水のようなコロナ情報、玉石混交のコロナ論評に振り回されつつも、ある時はそれらの雑多な情報の渦中に溺れないように心がけ、またある時はハッとするような鋭い論評に耳をかたむけ、私が常に考えてきたことがあります。それは、科学的社会主義の立場から、コロナ・パンデミックをどうとらえるべきか、という課題です。この課題を考えるために、私がまず最初に取り組んだのは、マルクスとエンゲルスが、パンデミックをどうとらえ、どう分析したかという問題でした。『経済』誌の６月号に発表した拙稿「パンデミックと再生産の攪乱・世界恐慌——マルクスとエンゲルスはどう考えたか」は、こうした問題意識のもとでまとめた「研究ノート」でした。

（2）この「研究ノート」の冒頭部分で、「もちろん、我々にとっては、現在進行中の『2020年パンデミック：世界恐慌』の実証的分析こそが求められている」と述べました。私にとって最大の課題は、現在の新型コロナ・パンデミックそのものを、科学的社会主義の立場から実証的、理論的に分析することです。私は、『経済』誌の「研究ノート」のあと、コロナ・パンデミックの実証分析の課題に力を入れました。

たまたま７月前半、労働組合運動の春闘共闘の全国集会に呼ばれて「コロナ・パンデミックと日本資本主義の課題」というテーマで講演をする機会がありました。全国集会でしたが、ソーシャル・ディスタンスに配慮して関東中心だけ集まり、全国的にはオンラインで結ばれた集会でした。ここでの講演と同名のテーマでまとめたのが、『月刊全労連』（2020

年10月号）の論考です。

（3）これらの2つの論文をまとめた後、私は、コロナ・パンデミックをより深く分析するために、それまでまったく未知の世界だった感染症疫学についての入門的な文献を何冊か読んでみました。

そうこうしているうちに、ジョン・スノウの伝記のなかで紹介されていた、彼の記念碑的論文「コレラの伝染様式について」（1854年）の邦訳を読み、その緻密な疫学的分析に感銘しました。スノウは、1858年に45歳の若さで亡くなったのですが、その没後、この論文で、疫学の創始者としての歴史的評価が確立したのです。その辺の事情については、本書のコラム❶でも述べてあります。

※　ちなみに、私はロンドンを2度訪問したことがあり、ソーホー地区のマルクスのディーン街の居住跡（現在はレストラン）も2度訪ねました。しかし、そこから歩いて数分のところに、ジョン・スノウが疫学を創始したコレラ調査の歴史的井戸ポンプがあったことは、まったく知りませんでした。現在は、井戸ポンプの跡地にレプリカが設置され、そのすぐ近くに、かなり大きな「JOHN・SNOW・PUB」があります。その店内にはスノウについての資料や写真が掲示され、スノウの記念館的なパブになっているようです。もし、もう一度ロンドンに行く機会があれば、ぜひともパブに立ち寄ってみたいと考えています。

（4）8月末に、安倍首相が辞任し、9月16日に安倍亜流政権ともいうべき菅内閣が発足しました。総選挙のタイミングが議論されはじめるなかで、私は、コロナ・パンデミックについての科学的社会主義の立場からの考察を、できるだけ早い機会にまとめておきたいと考えました。コロナ禍の終息の見通しもいまだ不明で、経済危機の行方も定まらない段階に、1冊の本を書くのは、なかなか難しいのですが、コロナ問題が否応なく政治的対決点の1つになることは必至と思われる情勢です。そうした実践的な思いもあって、本書をまとめる作業を進めました。

（5）本書は、今年前半の２つの論考を前提にしつつ、その後の感染症疫学についての初歩的学習も踏まえながら、科学的社会主義の立場から、できるだけ体系的にコロナ・パンデミックを考察したものです。本書をまとめるにあたって、筆者がとくに力を入れたのは、次の３点です。

第１に、さまざまな溢れかえるコロナ情報を簡潔に整理・分類して、コロナ・パンデミックをめぐるもっとも主要な論点を、できるだけ本書1冊でとらえられるようにすること。

第２に、人類史上で繰り返されてきたパンデミック一般と、21世紀のコロナ・パンデミックとを区別して分析して、科学的社会主義にとっての理論的な課題を明らかにすること。

第３に、コロナ後の社会変革の運動の発展に必要な実践的な課題について、一経済研究者の立場から、できるだけ具体的に問題提起をすること。

（6）「はじめに」でも述べたように、本書は、“走りながら考える”、“考えながら走る”という意味で、2020年：コロナ・パンデミックについての中間的分析です。情勢の発展とともに、分析を深めていくためのたたき台、踏切板のような役割を果たせることを願っています。

本書の分析や問題提起にたいするご意見やご批判を歓迎します。

最後に、コロナ禍のさなか、緊急に本書を編集・出版するにあたっては、学習の友社・出版部、労働者教育協会事務局の皆さんに、たいへんお世話になりました。心から感謝します。

2020年10月20日

付表Ⅰ　2020年：コロナ・パンデミックと日本の対応

月	日	感染者	死者	局面	感染対策　政治的対応	社会的経済的対応
2019年	12月12日				中国湖北省武漢市で原因不明の肺炎を確認	
	12月31日				ＷＨＯ発表：武漢市で原因不明の肺炎発生	
1月	1			Ⅰ期・指定感染症（初動の遅れ）		
	9	0	0			
	14	1	0		日本で初感染者	
	30	14	0		首相官邸内に対策本部	
2月	1	24	0		指定感染症、検疫感染症に指定	
	3	24	0		クルーズ船、横浜港停泊（3日～3月25日）	
	13	37	1		国内で最初の死者	
	25	161	1		政府「基本方針」イベントの自粛要請	
	27	191	4		安倍首相「小中高校の休学」要請	
3月	2	191	6		専門家会議「見解」（クラスター対策など）	
	6	353	6			
	11	572	12			選抜高校野球、中止決定
	13	679	19		新型インフル特措法（改正）成立	
	19	950	33		専門家会議「爆発的拡大も」	
	25	1,193	43			五輪：１年延期でＩＯＣと合意
	26	1,291	45	Ⅱ期　緊急事態宣言（自粛と補償）	政府：対策本部設置。首都圏、外出自粛	
	29	1,693	52			タレントの志村けんさん死去
4月	1	2,178	57		日医「医療危機的状況宣言」	
	3	2,617	65			日銀短観：７年ぶりにマイナス
	7	3,906	80		緊急事態宣言：経済対策（108兆円）	
	16	8,582	136		全国に拡大	
	30	14,088	415			第１次補正予算（25.7兆円）
5月	6	15,354	543		延長	
	14	16,079	687		８都道府県以外は解除	
	25	16,581	830		緊急事態宣言の全面解除	
	27	16,651	858			
	2	16,930	894		初の東京アラート。９月入学断念	
6月	8	17,174	916	Ⅲ期・深まる経済危機（問われる対応）	持続化給付金、ＧｏＴｏキャンペーン：民間委託が問題に	
	12	17,332	922			第２次補正予算（31.9兆円）
	19	17,740	935			
	25	18,110	968			
	29	18,476	972		アベノマスク配布完了と発表	
7月	3	19,068	976		専門家会議廃止：新たに「分科会」	
	6	19,775	977			熊本豪雨災害
	22	26,303	989			ＧｏＴｏトラベル開始
	29	31,901	1,001		１日の感染者初の1000人を突破	
	31	34,372	1,006		野党が臨時国会を要求	
8月	6	42,263	1,026		安倍首相、49日ぶりに会見	
	7	43,815	1,033		専門家：分科会が感染状況の６指標	
	8	45,439	1,039			お盆帰省の自粛を要請
	11	48,928	1,052			
	17	55,667	1,099		GDP4-6月期：年率－27.8%	
	28	65,573	1,238		安倍首相、辞任表明会見 新型コロナ対策の今後の取り組み	
9月	10	73,221	1,406	Ⅳ期・菅内閣（感染防止と経済の両立）	立憲民主党大会	
	14	75,657	1,442		自民党、総裁選で菅氏選出	
	16	76,448	1,461		菅義偉内閣成立	
	18	77,494	1,482			
	19	78,073	1,495		イベント制限を緩和	
	22	79,438	1,508		世界からの入国制限緩和の検討開始	
	29	82,494	1,557			
10月	1	83,563	1,571		菅首相、学術会議６名拒否	ＧｏＴｏトラベルに東京含める
	3	84,215	1,578			
	10	88,233	1,624			
	15	90,710	1,646			
	20	93,480	1,676			
11月						

（注）データの出所は、ＷＨＯやジョンズ・ホプキンス大の集計をもとにした「日経新聞」の「新型コロナ特集」

世界の感染拡大の動き

世　界		
感染者	死者	世界
※李文亮医師が12月30日に原因不明肺炎をネットに掲載。 1月3日に武漢市衛生委員会が李医師を処分		
		武漢市が「華南海鮮市場」を閉鎖
		WHO：中国が新型コロナ発生と発表
47	1	WHO：緊急事態宣言見送る（1月23日）
7,896	170	WHO：緊急事態宣言（1月30日）
12,028	259	
17,458	362	WHO：COVID-19と命名
60,458	1,371	
80,459	2,711	
82,772	2,815	
90,324	3,080	(中国の感染、ほぼ収束)
101,276	3,461	感染者が10万人を突破
124,582	4,649	WHO：パンデミック宣言
141,993	5,507	欧州で感染拡大
234,186	10,601	死者が1万人を突破
444,358	22,017	
503,164	25,011	感染5大陸へ広がる
693,120	35,632	米国の感染者が中国を抜く（3月26日）
901,061	48,752	
1,062,455	59,587	感染者100万人突破
1,370,523	85,201	中国、武漢封鎖解除
2,083,412	147,790	米国の死者世界一に（4月13日）
3,192,022	233,703	米国がWHOへの拠出を停止（4月14日）
3,680,955	263,753	WHO、アフリカの感染の危機を警鐘
4,358,922	301,646	WHO、年次総会
5,394,542	347,540	
5,582,467	355,574	ＩＬＯ、コロナで報告書
6,265,593	380,143	WHO、マスク着用で見解
6,984,278	405,447	世銀：戦後最悪の経済危機に
7,499,731	424,097	ＯＥＣＤ、経済見通し発表
8,506,500	456,196	WHO：「パンデミック危険な局面」
9,443,831	482,870	
10,143,706	499,753	感染者が1,000万人を突破
10,919,218	518,912	
11,471,464	531,275	WHO：「多くの国の対策は誤り」
15,029,670	613,408	WHO、感染についての報告書
16,819,332	657,430	WHO：「パンデミックは加速」
17,377,341	669,815	
18,873,182	703,664	
19,152,217	710,026	
19,430,562	716,026	ファイザーがワクチン開発で最終治験へ
20,143,189	731,709	世界の感染者2,000万人超
21,711,624	770,251	WHO：「ワクチン争奪戦に懸念」
24,523,123	832,558	米大統領選：民主・バイデン（8月18日）選出 候補者決定　共和・トランプ（8月24日）
27,945,390	905,096	アストラゼネカ、ワクチン開発、最終治験を中断
29,096,828	925,074	
29,651,093	936,711	
30,289,541	947,830	感染者が3,000万人を突破
30,599,615	953,004	WHO、ワクチンの共同購入で報告
31,420,939	966,424	
33,452,614	1,003,527	死者が100万人を突破
34,025,300	1,014,813	トランプ大統領が感染
34,347,833	1,020,689	欧州で感染再拡大

（参考）2020年10月20日までの感染者数と死者数

感染者	世界		40,507,684人
米国	8,273,296	中国	85,704
インド	7,597,063	韓国	25,333
ブラジル	5,273,954	日本	93,480

死者	世界		1,119,662人
米国	221,052	中国	4,634
インド	115,197	韓国	447
ブラジル	154,837	日本	1,676

サイトによる。

付表 Ⅱ　マルクス、エンゲルスの疾病、パンデミックなどへの言及文献

巻	執筆者	出典文献	執筆時期
第01巻	M	出版の自由と州議会議事公表の討論	1842年5月
	E	ヴッパータールだより	1839年3月
第02巻	M	聖家族　第2章	1844年9月
	E	イギリスにおける労働者階級の状態	1845年3月
第09巻	M	NY紙論文 「戦争問題－議会情報－インド」	1853年7月19日執筆 (8月5日付)
	M	NY紙論文 「イギリスのインド支配の将来」	1853年7月22日執筆 (8月8日付)
	M	NY紙論文 「財政問題での政府の敗北ー辻馬車—」	1853年7月29日執筆 (8月12日付)
	M	NY紙論文 「穀物価格の騰貴—コレラーストライキ」	1853年8月30日執筆 (9月15日付)
	M	NY紙論文 「トルコの宣言－フランスの経済状態」	1853年10月18日執筆 (10月31日付)
第12巻	M	NY紙論文 「イギリスの狂人数の増大」	1858年7月30日執筆 (8月20日付)
第16巻	M	国際労働者協会創立宣言	1864年9月28日
	M	アイルランド問題についての演説の下書	1867年11月
	M	アイルランド問題についての講演	1867年12月
第23巻a	M	『資本論』第Ⅰ巻　第8章　労働日	1867年
		『資本論』第Ⅰ巻　第13章　機械と大工業	1867年
第23巻b	M	『資本論』第Ⅰ巻　第23章　資本蓄積の法則	1867年
第25巻a	M	『資本論』第Ⅲ巻 第5章　不変資本充用上の節約	1865年
第17巻	M	フランスの内乱	1871年4－5月執筆
第18巻	E	住宅問題　第2篇	1872年5月～1873年1月
第19巻	E	ヴォルフ評伝	1876年6月～11月
第22巻	E	プレンターノ対マルクスの事件	1890年12月—1891年2月
	E	ロシア・ツアーリズムの対外政策	1889年12月—1890年2月
第20巻	E	自然弁証法	1873年～1883年
第21巻	E	『イギリスにおける労働者階級の状態』 アメリカ版の付録	1887年1月
第22巻	E	『イギリスにおける労働者階級の状態』 イギリス版への序文	1892年1月
	E	『イギリスにおける労働者階級の状態』 ドイツ語第2版への序言	1892年7月
第39巻	E	エンゲルスからポール・ラファアルグへ	1894年3月6日

(注1) Mはマルクス、Eはエンゲルス。出典文献の表題は、便宜的に簡略化したものもある。

邦訳頁	内容
67	出版物の検閲と病気の予防
451-452	工場労働者の病気、梅毒と肺病
9	工場労働特有の疾病
251、290、293-294、304、320、326-339、382-400、404-405、408-409、422、425-427、432、434-438、440-446、476-477、479-482	生活手段と生産手段の所有と貧民の疾病／コレラの流行の 1831 年当時と現在 1844 年の衛生状態／コレラが流行してマンチェスター市の衛生警察が動いたこと／労働者家族の窮乏と病気／恐慌と労働者の疾病による犠牲／労働者の健康と生命の破壊は社会的殺人／子供、女性の健康破壊／工場労働者は肉体的にも精神的にも腐朽／労働者の反逆が始まる／女性の身体の健康、難産、流産／子供たちのあらゆる病気／熱病病院の報告／労働者と肺病。短命／過度な労働による筋肉の一面的な発達／身体全体の栄養不良
212	インドの土地制度、塩の専売制度、植民地支配とコレラ流行の関連
212	インド論のまとめ
220,222	迫りつつあるコレラ／精神病の増大
285	アジア・コレラの症例がロンドン、ベルリンでもで発生
421	干魃の結果とコレラと飢饉
507-512	富と極貧とが相呼応して増大。精神病の増加
3-5	飢餓病、労働者の栄養状態と貧困
432	人口の減少、病人の増大
550	飢饉と病人の増加
319-320、355	ペストの大流行と労働者取締法（1349 年）
557、596、603-606、615、626-628、656	労働手段の節約と労働者の健康／飢餓病／労働条件としての空間や光や換気／保健条項
864,918	熱病患者の恐ろしい死亡（公衆衛生報告）／ペストの大流行とマルサスの人口論批判
114-117	労働者の健康
323	牛ペストの伝播
226,251,278	コレラ、チフス、腸チフス、天然痘その他の破壊的な疾病／労働者街の汚染された空気と有毒な水／資本家に跳ね返る流行病／公衆衛生と住宅問題／労働者の飲酒癖／犯罪、害虫／都市と農村の対立
85-88	発疹チフスの発生と流行
130	労働者地区から都市の上流階級区域まで押しせまったチフス、コレラ、伝染病の巣
34	兵の 4 分の 1 がペストに
491-492	ジャガイモが塊茎と同時に腺病（コレラ）をひろめた
257	コレラ、チフス、天然痘、その他の伝染病のたびかさなる襲撃
274	コレラ、チフス、天然痘その他の疫病
324	コレラ、チフス、天然痘、その他の伝染病と都市の公衆衛生
195	労働者の病気の社会的原因

（注 2）邦訳頁は、すべて、大月書店版の『マルクス・エンゲルス全集』による。

索　引

人名索引

参照文献索引
（雑誌・新聞を除く）

■マルクス・エンゲルスの文献

あ 行

か 行

さ 行

た 行

な 行

は 行

ま 行

ら 行

欧文略語索引

カタカナ用語索引

企業名などは除く

ア行

カ行

サ 行

タ 行

ナ 行

ハ 行

マ 行

ラ 行

ワ 行

著者略歴

友寄英隆（ともより・ひでたか）

1942 年生まれ、一橋大学経済学部卒、大学院修士課程修了
月刊誌『経済』編集長などを歴任、現在、労働者教育協会理事

著書

『生活感覚の日本経済論』（1984 年、新日本出版社）
『「新自由主義」とは何か』（2006 年、新日本出版社）
『変革の時代、その経済的基礎』（2010 年、光陽出版社）
『「国際競争力」とは何か』（2011 年、かもがわ出版）
『大震災後の日本経済、何をなすべきか』（2011 年、学習の友社）
『「アベノミクス」の陥穽』（2013 年、かもがわ出版）
『アベノミクスと日本資本主義』（2014 年、新日本出版社）
『アベノミクスの終焉、ピケティの反乱、マルクスの逆襲』（2015 年、かもがわ出版）
『アベノミクス崩壊』（共著、2016 年、新日本出版社）
『戦後 70 年の日本資本主義』（共著、2016 年、新日本出版社）
『「一億総活躍社会」とはなにか――日本の少子化対策はなぜ失敗するのか』
（2016 年、かもがわ出版）
『「資本論」を読むための年表――世界と日本の資本主義発達史』（2017 年、学習の友社）
『「人口減少社会」とは何か――人口問題を考える 12 章』（2017 年、学習の友社）
『ＡＩと資本主義――マルクス経済学ではこう考える』（2019 年、本の泉社）

コロナ・パンデミックと日本資本主義
――科学的社会主義の立場から考える

2020 年 11 月 20 日　初版　　　　定価はカバーに表示
2021 年 10 月 1 日　2 刷
著者　友寄英隆

発行所　学習の友社
〒113-0034　文京区湯島 2-4-4　電話　03（5842）5641
印刷所　教文堂

ISBN978-4-7617-0725-5